JN118512

ひきこもり事務長

ぼくの心は2つある

木村 瑞穂

ひきこもり事務長

ぼくの心は2つある

もくじ

社会福祉法人「麦の子会」とは

社会福祉法人「麦の子会」は、児童発達支援センター「むぎのこ」を核に児童発達支援事業・日中一時支援事業・ショートステイ・ホームヘルプ事業・里親ファミリーホームなどを展開するほか、ここで育ち、成人となった子どもたちのための事業としてグループホームの運営・生活介護事業・就労移行支援事業等を行っています。

麦の子会は、一九八三（昭和五八）年、学生有志が教会にスペースを間借りし、無認可の通園センターとしてスタートしました。一九九六（平成八）年には社会福祉法人となり、発達に困難のある子どもとその親たちに家族のように寄り添いながら支援を行っています。また、ここで支援を受けてきた子どもたちの親が、今は麦の子会の職員として働いています。

子どもたちへの支援事業では、「発達支援」「相談支援」「家族支援」「地域支援」という四つの柱を中心に支援しています。

「発達支援」は、目が合わない・抱っこを嫌がる・多動であるなど、発達に心配のある〇歳・一歳児を受け入れ、むぎのこ発達クリニックと連携して、早期発見・早期療育に取り組んでおり、児童発達支援センターむぎのこ等で療育しています。

「相談支援」では、親を対象に、グループカウンセリング・個人カウンセリング・ピアカウンセリングを行っています。

「家族支援」は、ホームヘルパーの派遣やショートステイ入所、ドアツードア送迎を行っており、兄弟のための保育園もあります。

「地域支援」としては、障がいのある子どもと家族を地域で支えることができるように、機関同士の協力関係をつくり、他のデイサービスへの訪問や職員研修の受け入れも行っています。

また、学齢期の支援では、在籍学校と連携して、放課後等デイサービス・精神科デイケアなど、不登校児童のための取り組みを行っています。

子どもたちだけではなく、青年期と成人期の支援も行っており、生活介護事業のハーベストガーデンでは、登山や浜の散策・ソフトボール・畑作業など、若者らしい生活をしながらパンの製造・外販・食器洗い・調理と作業を行い、地域で自立して暮らすための支援を行っています。

麦の子会は、職員たちと家族がともに力を合わせて今日まで歩んできましたが、最初に出会った子どもたちは大人になり、ケアホームに入って元気に働いています。

この本は、そんな麦の子会で事務長として働く木村瑞穂さんを中心に、施設を利用し育った子どもたちやお母さんたち、それを支える職員たちが、ざっくばらんに語り合い、障がいと向き合う日々の姿を綴っています。

00

プロローグ

木村事務長と麦の子会

ひきこもりの事務長

麦の子会の事務長、木村瑞穂さん。自身もひきこもりです。その木村さんが事務長になってから四年が経ちました。

木村さんは今の自分をこう言います。

「表面的には確かにひきこもりを脱して毎日勤務しています。でも麦の子会をやめて一般社会で生きていけるかというと、全然そんな感じはしない。

今も弱さは大切だという部分と強さにあこがれる部分、この二つの間で常に揺れている自分がいます。

人とあまり付き合わないし、笑うことも少ないので表情筋が動きません。今もひきこもりであることは間違いありません」

貴族的なひきこもり

両親のほかに祖父母も同居していた家庭に育った木村さんには、反抗期らしい反抗期はなかったといいます。そんな木村さんにひきこもりの兆候が出始めたのは、高校生の頃から。その時はまだ「ひきこもり」という言葉はありませんでした。「ひきこもり」という単語でいわれ始めたのは、一九九〇年中ごろぐらいから。木村さんが二五歳くらいの時でした。

ひきこもりの木村さんが麦の子会に就職したきっかけはなんだったのでしょう。

もともとひきこもりだったにもかかわらず、木村さんは、東京の有名大学に入学し、二三歳の時に中途退学して実家に戻り、二九歳になるまではとんど家で過ごしていました。

「いま振り返ると自分でも不思議ですが、淡々と一日を過ごしていました。TVゲームをしたり、テレビを観たり、本を読んだり、小学校の時に習っていたピアノの教本で気に入った曲を練習したりして過ごしていました。

今でもちょっと疲れたと思う時に、ピアノを弾きたくなります」

ひきこもりには、とことん自分を追い詰め、どうしていいか分からないというタイプの人もいます。しかし木村さんは、パチンコをしたり、ゴルフをしたり、お金持ちの息子が東京の生活に疲れ果て、実家に帰って静養してるような感じのひきこもりで、ある意味昔の貴族のような生活でした。

カウンセリングを受ける

麦の子会に就職するきっかけを作ってくれたのは、予備校時代に知り合った友人でした。その友人は高校の同窓生でしたが、在学中はお互い知らない存在でした。その友人は東京で子どもの絵本などを描く、イラストレーターでした。彼の仕事関係の先生が北海道大学教育学部教授の横湯園子さんを紹介してくれ、木村さんは横湯先生の所に月一回のカウンセリングを受けるため、三年間実家から北海道大学に通いました。

その後、木村さんの両親も横湯先生の所に行くようになりました。両親は、木村さんにあまりプレッシャーをかけないようにというアドバイスを、先生から受けていたのではないかと木村さんは考えています。そのせいか、強く「働け」といわれるようなことは無かったといいます。祖父母も「働け」とはなぜか言いませんでした。

両親ともに働いていたため、日中は家におらず、帰りも夜六時、七時ころなので、それ以降、自分の部屋にいれば、親とは接触せずにすみました。

そんな暮らしに焦りはなかったのでしょうか。

「それなりにはありました。時折切迫感の波がきていたと思います。でも、その波に対して現実的にどうしようということは、考えられませんでした」

麦の子会に就職

そうこうしてるうちに横湯先生が、北海道の子どもの虐待防止協会を立ち上げることになりました。

木村さんは「いろいろな事務仕事があるので、学生ボランティアのような感じで、手伝ってみませんか」と先生に聞かれ、ひと月に一回あるいはふた月に一回程度のペースで手伝うことになりました。

虐待防止協会の事務所は、当時札幌学院大学にあり、同大学の松本伊智朗さん（現在は北海道大学教授）が事務局長でした。それが麦の子会とどう結びつくのかというと、松本先生は、当時麦の子会後援会の事務局長でもあったのです。麦の子会は建設するにあたり、各地から建設資金を募りましたが、当時の募金者やその後の応援者によって麦の子会の後援会が創設され、松本先生がその事務局長となりました。

木村さんが「麦の子会で後援会のデータ整理の仕事があるからやってみないかい?」と松本先生に紹介されたのが、一九九九年の冬一月でした。

何度かデータ整理に訪れているうちに「今、職員を探してるんだけれど、ここで働きませんか」と言われました。木村さんも六月で三〇歳になる年だったので、「ここで働かないともうこれで一生ひきこもりだな」と思い、仕事内容には全く興味がありませんでしたが、「こんな私でも呼んでくれるんだ。働かせてください」と決意。まずは臨時職員として、働き始めたのです。

怪しい人

今は、お母さんたちのフリースクール活動が大変盛んですが、木村さんが初めて麦の子会に来た頃は、まだまだ小規模でした。フリースクールの子どもたちは、授業に全時間参加することが難しいため、可能なところだけ参加し、下校後の活動の場としていました。

古い建物を借りてのお母さんたちだけの活動でしたが、「それだと偏る恐れがある。職員がいたほうがいい」と、ちょうど職員探しをしていたところだったのです。

その時にフラッと訪れたのが木村さんでした。ちょうどマイコプラズマ肺炎を患った直後で、マスクにニット帽という出で立ちだったため「何なのあの怪しい人は」という目で、職員たちは見ていました。

自閉の子たちとの出会い

木村さんが担当したのは、自閉の子たち八人のクラスです。まだ麦の子会の建物が一つだけの時代でした。日中は車で遠くの公園に行ったり、近くを散歩したりし、あとは室内で活動をしていました。木村さんはこの子たちが六歳から七歳の頃から一緒に生きてきたのです。

一般的にいわれる自閉の子たちは、すごくこだわりが強く、かつ、刺激に弱いので、パニックを起こさせないために、一人用の勉強ブースを造るなど、なるべく刺激を与えないようにしたほうがいい、というのが定説でした。例えば、何時から何時までこれこれをする、この場所は何をする所、などとはっきり決めています。その辺を曖昧にせず、分かりやすく構造化してあげると、自閉の子も安心できます。そのことをおさえつつ麦の子会では、人との関係性をベースに療育をしているため、ほとんどの活動は友達と一緒で、もちろんいろいろな刺激もあり、保育園のような暮らしの中で育ってきています。

キム

木村さん曰く「育てたというよりも友達として一緒に成長してきました。この子らの面倒をみて、何か暴力があると家まで駆け付けたり、朝〝起きない〟といえば家に起こしに行ったり、仕事の時間外でも世話をしてきました」。

他の人が起こしに駆け付けても起きないけれど、木村さんが駆け付けると起きるという子もいました。

子どもたちは中学生の頃から木村さんを「キム」と呼ぶようになりました。木村の「キム」です。

彼らは、自分の欠点が分かっていますし、木村さんの欠点も知っています。

才能があり、やればなんでもできる木村さんです。

子どもたちと木村さんの関係は「キムも頑張っているから俺たちも頑張るか」といった関係なのです。

麦の子会は、親も含め人間関係が不得意な人が多くやって来ます。ここで、ひきこもりなのに現役事務長になっている木村さんの存在が光ることになります。人間関係が不得意なタイプのはしりである木村さんが、彼らに安心感を与えてくれるからです。そういう人たちとの共通点の多い木村さんは、セラピューティックな麦の子会の暮らしの中で、ひときわ大きな存在です。しかし、子どもたちは「キムのような先輩になっちゃあおしまい」ともいっています。

共に生きる

最近の木村さんは笑顔も増えましたが、薄皮を剥がすように何年もかかったといいます。麦の子会の子どもたちもたいていそういった子です。お母さんたちも鬱（うつ）で来る人がたくさんいますが、麦の子会に来て一〇年くらいの歳月を経ると、笑顔になるお母さんが多くなるといいます。

「ここで自分らしい言葉をしゃべり、自分らしく生きていいよ」と言ってくれる北川聡子園長の下で、みな働いてます。

赤裸々に自分のことを語り、お互いをオープンにする職場は少ないですが、麦の子会は違います。職員が自分の生きにくさをみんなの前で話し、それをシェアしあっています。

大変な虐待を受け、自分が一番辛い思いをしたと思っていたお母さんが、職員として仲間になる。そして、いつもニコニコしていて頼りがいのある他の職員が、実は自分以上の苦しみを抱えていたのだということを知り、職員あるいは麦の子会利用者の立場を超えて、共通の苦しみを持つ人間として、みんなと一緒に生きていこうと考える。これが麦の子会なのです。

01

木村事務長と古家統括部長

『自己皇帝感』

古家 統括部長

木村 事務長

『自己皇帝感』

古家　木村事務長は、今もひきこもりを克服していないよね。

木村　この間も事務所の朝の打合せの時に「皆さん、事務長の叱咤激励をお願いいたします。本来であれば立場上、事務長が皆さんを叱咤激励するんですけれど、ウチは変わった組織ですので、申し訳ありません」と私、言ったんですよ。「そう思いませんか。お世話になります」と今年入ったばかりの人に言ったら、その人もどちらかといえばひきこもりなんですが、「プーッ」と噴き出していました。

古家　飲み会もダメです。大学に入ると新人歓迎コンパなどがありますが、ああいうのは全然ダメでした。今も飲み会は、ホントに慣れた人とではないとダメです。

木村　私たち二人とも飲み会が嫌いです。

古家　雑談しなければならないですから。

古家　雑談って、それに対して反応しないといけない。知らんふりして聞かないでいたいんだけれど、リアクションが面倒くさい。相手を立てる気持ちがないと、聞いてあげられませんよ。ですから、飲み会の会話って疲れるんですよね。

木村　盛り上がらなきゃいけないみたいなところが苦手です。飲み会って、ものすごく頑張らないとダメなんですよ。笑うのだって頑張らないと笑えない。ノリでイエーイみたいな、そういうのに合わせなければ、暗くてつまらない奴だと思われるだろうな、とか。

古家　それが続くと私も疲れて頻脈になってしまいます。でも、私は頻脈になっても頑張って出ているのに、木村事務長は全然行かない。自分を守ろうとする。わが身可愛さ中心の『自己皇帝感』ですからね。

木村　以前、ある精神科医の先生が、ひきこもりの説明をこんなふうにしていました。
小さい頃の母との関係で、ずうっと「あなたは王様」と王様扱いをされ、母子の関係では王様なんだけれど、社会に出たらただの人というのに耐えられないからひきこもるのだと。

古家　それで麦の子会では「まあしょうがない。立ち位置そこでいいよ」ということで、働けているんですよね。一般社会に出たら、ただの人なので働けない。

木村　あまりにもバカですよね。

古家　王様扱いしてくれないからひきこもるって、バカというより、そのままの自分を受け入れられないんだね。古くからの知り合いは、それで良しとしていけるけれど、新しい人の中には、事務長がひきこもりということを全然知らない人がいる。その人の前でも私がひきこもりだったことを話すと、「格好悪いじゃないか」ってすごく怒るんです。どこまでも『自己皇帝感』でいたいので、ホント困りますね。この言葉は半年ぐらい前に思いついたんですけどね。
埋もれるというのか、群衆の中の一人になると自分が存在していないような不安感に陥ってしまうというか……。その中でパニックになるような自閉症の人もいれば、そういう所に行かないタイプもいる。自分がどんな態度をとればいいのか分からないんだと思います。例えば木村事務長は、幼少の頃から学校の成績も良くて、スポーツもできて、ピアノも弾けて、何でもできる。親から優秀であれというか、そういう立ち位置に立てと無言のメッセージを送られていますよね。だからある程度の年齢までは、そういう立ち位置に立てていたけれども、大学へ行ったら成績のいい人が山ほどいるので、行けなくなった。

昔からそういう人はいるんですが、自分自身が本当にやりたいこととは何か。親から植え付けられたことが多すぎて、自己主張が受け入れられることがなく、自分というものが分からなくなっている。ホントに自分でこれやりたいのかな、あれやりたいのかな、こういうことを人前で言ったらダメなんじゃないかとなる。それで、集団の中でどう存在したらいいか、不安になってしまう。

木村事務長も、本来持っている才能と親が押し付けたものが違う。間違いなく優秀だったんです。それなのに親に押し付けられた自分というもので生きてしまったから、今はむぎのこで『自己皇帝感』を肯定されながら、本来優秀な自分を取り戻しているところなんです。

麦の子会に勤め始めた頃

木村　感情をおさえているせいか、記憶が全般的にあいまいです。感情が記憶を強める、といいますから。

古家　まず表情がなかったですね。表情筋が動かない。あまり声を出して笑わない。

木村　そうですね。今でもそうですけど、なかなか笑わないです。頑張らなければ笑えないみたいなところがあって。

古家　「ふふふ」という感じで……。

木村　「あはは」とは笑わないですね。

古家　第一印象は、映画によく登場するような、表情がなくて怖い感じの人だった。そんな人がスーッと出てきたら怖いですよね。ですから私、北川園長に「怖い、怖い、ダメ、ダメ。あのタイプって攻撃性が強いので絶対暴力を振るうようになる。私、被害に遭いたくないから採用しないで」って頼んだ。園長は懐が深い人なので「いや、この人才能ありそうだから雇おう」といって、雇ったんですが、私は「暴力振るわれるのはごめんだから、私は関わらないよ。それでも良かったら雇ってもいいけど、私を巻き込まないで」って言ったけれど、結局関わるようになってしまった。

木村　初めの三カ月ぐらいは、週に三回、実家のある深川から通っていたんですよ。

古家　むぎのこの近くにあるアパートに住むように言ったらすごく嫌がった。新しいことは全て嫌がっていました。「よし、やるぞ」という心意気というものがなかった。最近の若者そのもの。事務長は、最近の若者のはしりなんですよ。日本社会のひずみというか、競争社会に疲れてしまっているというか。ヘトヘトで余裕がないから意気込みどころじゃない。ある意味、ひきこもったほうが自分を救える。

木村　二〇代の頃はずっと自分は人間関係が苦手だ、というふうにしか思っていませんでした。

古家　それに反抗期がないですよね。社会への反抗もないし、親への反抗もない。管理されていますから。若者の意欲が損なわれています。やっぱり反抗期がないと意気込みなど出てこないですよ。今も学校とか社会で、こういう子であって欲しいという押し付けによって、マニュアルでいろんなことを覚えて、良い子でやっているけれど、自分が分からなくなって、社会で働かない人が増えてきている。木村事務長は、その先駆けではないでしょうか。

先駆け

古家　事務長は、自分を痛めつけることのできない人。お金持ちの息子が東京で疲れてしまって、北海道の田舎に帰って静養してるような感じ。ある意味貴族のようなひきこもり。表情筋がなかったし、人と全然付き合わなかったし、笑ったりすることもない。そういうひきこもりであることは間違いないですね。ここの子どもたちも、かなり似ています。お母さんも鬱で心療内科に通っていたり、自分自身がアスペルガーだったり、という人がたくさんいます。でもここに来て生活するうちに、薄皮を剥がすように笑顔になるお母さんが多い。

木村　仕事でも本にモデルがあるんじゃないかと思って、「そのモデルがどこかにあるだろう。その通りにやらないとダメなんだろう」と。それで何か困ったことがあると、本を探してしまう。安直なＨｏｗＴｏ本とか。

古家　例えば園長がいない時は私が給与明細書を渡すんですが、みんなにさっさと取りに来て欲しいんですよ。でも自分の用事などをしている人がいる。私は、サーッと流れるようにやりたいんです。

あるいは、駐車場に無断駐車する人や停めて欲しくない所に停める人などに、ササッと駆け寄って「ここ停められませんので、そちらにお願いします」と注意してくれるとか。

どんな仕事も相手の動きを見て、先回りをして「こちらです」って。停めてしまってから「そっちに行ってください」と言うと、嫌な気分になるじゃないですか。嫌な気分にならないようにササッと先回りをして、「こっちですよ」と。

木村事務長に「そういうふうにやって」と言っても、「なんでそんなことを」と言う。王様だから、こまごまと人を立てるなんてことはしない。どんな仕事も常に人を立てなければならないじゃないですか。「給与明細書を取りに来てください」と丁重に、無断駐車する人にも「なんでこんなところに停めるんですか」じゃなくて、「そこは混雑していますので、こちらのほうにお願いします」などというふうに働いてほしいわけですよ。木村事務長は全然。「なんでそんなことしなければいけないんですか。そのぐらいいいじゃないですか。待っていればいいですよ」と、未だにやらない。そして葛藤しないので、ただ鬱になってやる気がなくなるだけ。忙しくて、すごい苦手なことばっかりやっていたので、鬱がずっと続いたよね。例えば椅子一つ買うにしても、「このような椅子を何日までに用意してください」と業者さんに言ったら「そりゃ、無理ですね」と言われ、ほうっておいた。北川園長が「椅子いつ届くの」と尋ね「分かりません」となって「エッ、何日までに届けるようにって言っていたでしょ」というようなことが、あまりにも積み重なったのね。「どうしてそうなっているの」と聞いたら、交渉はするのだけれど、「それはちょっと難しいですね」と言われると交渉できない。給与明細書や駐車場と同じなんですよ。「こっちですよ」とか「そうは言ってもこうできませんか」とかという、ただの人という立ち位置に立って交渉することを根本的にやりたくない。毎日、事務長を辞めたいと思っているのよね。

木村　ホント指示することすら大変ですから。指示する時に、向こうが嫌がるだろうなと考えるだけでもうダメです。

古家　人に指示されて、それをニコニコと好意的に受け入れてくれる人などほとんどいませんよ。

葛藤しない

木村　葛藤という意味がむぎのこに来るまでよく分からなかったのですが……。

古家　例えば母親が葛藤しないように、「これ食べたいの？」って。でも本当に欲しかったのはそれではないんですよ。葛藤しようと思ったら、母親が「あんた、これだったんでしょ」って渡してしまうので、そうじゃないはずだったんだけれど、「あれ、そうだったのかな」となってしまう。例え小さな物でも、自分で汗水流し、それが欲しいからこうしようということがない。部活で野球をしたかったんだけれど、おじいちゃんに反対されたり……。

木村　高校で三カ月ぐらいやっていたんですが、家から遠い高校に通っていたので、帰りもすごく遅くなっていた。そこに母方の祖父から、部活をやっていたら勉強がおろそかになるって反対されて、何回も手紙が来ました。自分でも難しいなと思っていたし、そういう意見もありという感じで、野球部を辞めました。

古家　野球をやっていて、そこで葛藤が生まれ、自分でやれないと判断して辞めたりすれば、また別だと思うんですよね。だけれども常に葛藤しないように周りから固められているので、私から見ると、親とか親戚から与えられたレールを歩いているように見えるんです。葛藤して自分で選択する機会がなかったのではないでしょうか。

攻撃性

古家　麦の子会に来てから一五年経つ子どもたちがいるけれど、みなさん元気になりました。木村事務長も同じですね。お母さん方とも同じように一緒に生きてきた。トラウマがテーマのワークショップをしたり、人権の勉強をしたり、研修に行ったり、外国に行ったりしながら、一緒に元気になっていきました。

自己皇帝感もアップしているので、皇帝にもなれる。自分を肯定できると、相手を攻撃するようになるというのか、自分がエンパワーメントされ、「自分は自分のままでいいんだ」と思うと、「自分は悪くない」となるから、相手に対して攻撃するようになる。それと向き合ってくれる人がいて、受け入れられて自己皇帝感がアップして、活力が出てくる。

元気になっていくので、だんだん病院に通わなくなる。薬を飲んでいた人も、薬がいらなくなり、病院にも行かなくなって、笑ったり、怒ったり、悲しんだり、という暮らしが蘇ってくる。

回復した、回復していないというより、同じ線上にあって、すごく落ちこんでいる時からだんだんちょっとしたことで落ち込まなくなっていく。

反抗期がないと、「自分が悪いんじゃないか」と知らず知らずに自分を責めてしまうので、何をやっても落ち込みやすい。無意識の世界ですね。無意識の世界で自分が悪いと思っている。だから意識の世界を増やしていく。自分への気づき。そうするとマイナスもプラスも含めて自分なんだ、というふうに意識するので、自分が悪くないと思うと、人を攻撃するようになる。人を攻撃して相手も傷ついていることに気づき、反省できるようになる。攻撃性は生きるエネルギーで大切なものです。暮らしの中で攻撃性をなくしてしまうと人は育たない。

子どもが育つためには、子どもの攻撃性を受け止め、向き合う、大人の集合体が必要となります。大人一人では受けとめられません。大人が一人ではなくチームで、子どもより大きく、強く、速い存在となる。それで子どもは守られていると実感し、育っていく。麦の子会のミッション、「一人の子どもを育てるには、村中の大人の愛と知恵と力が必要」に繋がります。

この本を出す狙い

古家　木村事務長とは、「まだ自分が悪いのかなという思いを拭い去れないのでは」などといった気持ちで付き合っています。「それをやってはダメだ」ということを、ものすごく親から植え付けられていますから。

木村　明確には意識していないのですが、このまま年を取っていったら、という不安も出てきたりしています。

古家　私から見ると、それが自分なんですよ。自分が背負うべき課題なんだから、自分で苦しんだりしてやることではないかしら？　自分の生きた結果なのに、ただ鬱になって「こういう状態なのにどうしてくれるんだ」という雰囲気づくりに見えるというか、そんなふうに雰囲気を作って親に分かってもらおうとしたのかな。
タマゴの中でコツコツしている子はだあれ？　出ておいでよ、という絵本（『たまごのなかにいるのはだあれ？』福音館書店）があるんですが、事務長はなかなかタマゴから出てこないなあ、という思いがありますよ。

何のためにこの本を出すかというと、結局そういうことで苦しんでいる人が山ほどいるからなんですよ。私は給与明細書を渡したりする仕事も同じように尊い仕事なんだよ、ということを事務長に伝えたい。これは、学校の成績、会社での業績中心に求める社会の風潮にも原因があると思います。

もう一つは、木村事務長自身、人は誰かのために生きるんだということに、この本を通して気がついてくれれば、本を出す意味があると思います。

私は、欲しい言葉をすごく求め続けたんですよ。学校に行きたいと思ったことが一日も無かった自分が腑に落ちなくて、十代の時からその答えを探し続け、本を読んだり、人に出会ったりして求め続け、ようやく自分を肯定できるようになった。

事務長も求めているんじゃないかな。だから私はいつも言うんですよ。「あなたの心の奥の奥の奥の願いに応えてお答えします」って。ただの人イコール凡人にはなりたくないため、その中でものすごく苦しんでいる。

木村　ただの人になりたくないというのは分かります。でももう年齢的に人生の後半になって来たのに業績が何もない。業績が何もなく、ただの嫌な奴になっていますから。

古家　業績はあるでしょ。ひきこもりだった青年が、麦の子会でパソコン等、特技を活かして事務長を実際やっている訳なので。

苦言の裏には

古家　麦の子会にはいろいろな人がいます。北川園長は懐が深い人なので諦めない。女性のひきこもりの方が事務で働いていたりとか。そういう人も、レイアウトなどにものすごく高い能力があるので園長が雇う。常に周りにそういう人がいるので、私も自分の能力の限界に挑戦して、なんとか一緒にやっています。

木村事務長は、なぜかいつもどんでん返しというか、漫画チックでおかしくて笑いながら生きているというか、常におかしいことが起きる。

木村事務長が勤め始めた頃、仕事中にいなくなったので、みんなで必死に探していたら、押し入れに隠れていたとかね。イベントに全然参加しないから誘いに行ったら脱走してどこかに行ってしまった。海外に行く時も「絶対に行かない」と嫌がっていたのに、帰って来たらニコニコしている。「行って良かったでしょう?」と尋ねると「当たり前じゃないですか」。そういう暮らし方ですね。

なにかを始めようとする時は、事務長がやりたがらないからみんな必死になって誘う。でもいざやってみたら「楽しかったです」と。それも「おかげさまで」じゃなくて「当たり前でしょ」って。

だから、みんなは付き合っていて楽しいと言います。我慢しないですね。自己皇帝感ですから。ずっと皇帝のまま生きてもらってきた。今でも結構気を遣って、鬱になったら「何やってるの。ただの人なんだよ」というふうに横槍を入れてあげています。全面肯定ですね。「あなたに会えてよかった」と。

私が事務長のことを、「最悪ですね」と言えるのは、事務長がどれほど素晴らしい人であり、すごい才能のある人なのだと認めているからなんですが、事務長も私がそう思っていることを分かっているはずです。

思い出

古家　私がいちばん感動したのは、事務長がCSP[*1]の管理者研修を受けてきた時。「管理者になった」って子どもたちに言ったら、「キム、ひきこもりなのによく頑張ったな」って。

木村事務長は、この子たちが三歳ぐらいの時から面倒をみて、一緒に生きてきたんですよ。自分の仕事の時間以外にも、この子たちの世話をしてきた。暴力があったら家まで駆け付けたり、朝起きないときけば家まで起こしに行ったり。他の人が駆け付けても起きないのに事務長が行くと起きる。この子たちは、自分の欠点も事務長の欠点も分かっている。「キムも頑張ってるから俺たちも頑張るか」というような関係ですね。

この子たちは、みな元気になりました。事務長もトラウマがテーマのワークショップをしたり、勉強をしたり、研修に行ったり、外国に行ったりしながら、一緒に元気になっていった。

木村　今もすごい暴力性のある高校一年生の女の子がいるけれども、自分のことを話す相手が限られています。話ができる人の一人が事務長なんです。この前、事務長に冷たくされた、嫌われたなどと言っていたけれども、嫌われたくない相手の一人が事務長です。

古家　私がひどいこと言ったたって怒っているの？
そう。冷たいこと言ったたって。

木村　つい最近、「事務の機械置いてある所で筋トレしてきた」と話しかけてきたので、「あー、そうなんだ。Aちゃんあんまり筋肉ないもんね」と言ったら、まずそれが嫌だったみたいなんです。その後に私も意地悪で「だけどまだ筋肉を付けないほうがいいんじゃないか」みたいなことも言った。どっちが嫌だったのかな。両方嫌だったんですかね。

古家　「筋肉ないね」と言われたみたいなこと、私に言っていた。

木村　昨日は挨拶しても無視された。

古家　これがいい状態なんですよ。彼女が自分らしさを表現しないで、合わせるか攻撃するか、人間関係が非常に難しい。記憶力は抜群なんですが、自分らしく振舞えない。嫌われたくないために、気を遣って返事をしたり、話をしたりするのではなくて、知らんふりできたということが、彼女らしい人間関係を保っていて、素晴らしいですね。彼女のまま、いさせてあげたっていうことが、一番素晴らしい。自然発生的に出た言葉によって、相手も自然発生的に振舞っているというのが、一番いい人間関係。

木村事務長は、機嫌を取ったりするような人には全く関われないけれど、そういう子とはお互いにものすごく普通に振舞える。まさに薄皮を剥がすように、その子も情緒社会性が発達していくんですよ。そういうふうに振舞える相手が増えてくると、彼女はだんだん落着いていく。だから私が事務長をけなしているようだけれど、実は事務長はすごい人なんです。

今の若者のかなりの人が、自分の弱みは人に知られたくないというか、自分を作って自分のことは話さない。問題意識がないですからね。問題意識があれば、もっと話したり手ごたえがあったりしますが、それがない。親とか学校に管理されている中からきているのでしょうか。

私たちの若い時代というと、もう半世紀近く前になりますが、成績が悪くても小学校の学芸会の主役は演劇のうまい子だった。国語の時間も、紙芝居は成績よりも読むのが上手な子に先生が読ませていた。今でもはっきり覚えています。その子が読むと、みんな泣きました。今、その人は穏やかにのんびりと暮らす農家のおばあちゃんです。私の育った所は田舎だったので、晴れた日はみんなでソフトボール。晴れたら外に行くという暮らしでした。今はまず危ないことはしない。昔は、理科の時間だったら外に行って草花を見て、先生が説明したりしたんですが、今は自然に触れたり、川などに行ったりしない。危ないからどこも行かない、という生活になってきている。評価するのは勉強だけ。そういったことの影響が絶対大きいと思いますよ。

木村　僕の時代も学校は、成績かスポーツかでしたね。

古家　事務長は、どちらの成績も良かったんですよね。

木村　どちらも中学くらいまではいいほうでした。

古家　だから大人のいい子だった。大人のいい子になってしまう若者が多いですね。

木村　中学時代、苦しんでる子のほうがまだましというか、私はすっかり適応していた感じだったんで。

古家　過適応だね。

木村　はい。

古家　今の子どもも過適応です。だから事務長がそのはしりに見えるんですね。

木村　むしろ、学校に適応しない子のほうが、大人になってから元気だといえますね。

フィンランドから学ぶ

古家　教育とか福祉とか保育とか、その辺のところを、日本の中だけに目を向けてなんとかやっていくのではなく、フィンランドのように、教育改革したところから学べるのではないかということで、フィンランドに何度も行っています。

フィンランドって人口が五四〇万人ぐらいしかいなくて、近隣の大国に挟まれている弱小国家。そんな国がどうやって生き延びようとしているのかというと、将来子どもたちが大人になるので、子どもに投資しようと。それで生まれる前からネウボラ[*2]という体制を作り、そこを相談の場所にして、「大人が助からなければ子どもが助からない。家族が元気だと生まれる子どもも元気」という発想で、検診を一人に一時間以上かけるし、相談も何でも受けて解決する。障がいなど見つかったら、地域のネウボラから、規模が帯広ぐらいの市にある、違う家族ネウボラに専門的に診てもらったり、二十歳前なら大学に行って検査してもらったり。保健師さんが三世代前くらいからずっとそこに住んでいて、九〇パーセント以上の人が地域ネウボラを利用しているので、ほとんど把握している。幼稚園はなくて全員保育園。でも長時間保育ではない。仕事は朝が早いけれど、みんな午後四時ぐらいまでには終わるので、家族そろって暮らせる。木村事務長みたいな人たちが、楽に生きられる。そういう人たち、今の日本では生きづらいですよね。そういう人たちは、すごくいい発想をもっていたり、才能もあったりするので、そういう人たちも自由に生きられる社会になって欲しいなと思います。

キャンプ

古家　二〇〇人ぐらいでキャンプをします。八雲の小学校に行ったりしますが、小規模のつもりが、あっという間に大人数になってしまう。

木村　子どもたちと親御さんがいますから。

古家　子どもたちは、すごく楽しみにしています。家族でいけない方や母子家庭の方も多いので、ここの地域に住んでる人たちみんなで、毎年八月のお盆前に行くんですよ。あと五月の連休にも行きます。唄ったり、踊ったり、そういうのが好きな芸能人みたいな人が何人もいます。ですから体育館のステージがすごい。神経過敏だと一般的にいわれてる重度の自閉症の人たちも踊ったり歌ったりが好きなので、止められない。

木村　そのキャンプで、夜の宴会も定番化されました。

古家　自閉症の人たちって、みんな事務長みたいな人たちばっかりですから。でもそういう人たちもだんだん慣れてきて、みんなの前で歌うようになるんですよ。

木村事務長がいて良かったこと

古家　やればなんにでも才能があるんですよ。それにここは知的障がい児通園施設なので、親も含めて人間関係が不得意な人が多く来るんですが、事務長は人間関係が不得意な人のはしりなので、そういう人たちにすごく安心感を与えてくれる。それにその人たちのことを、「あの人はこういうことじゃないですか」などと、よく表現できるんです。ですからここの「セラピューティック」な暮らしの中では、とても大きな存在です。

木村　そういう自覚は全くないです。職員がここ何年間で増え、若い人がすごく多いんですよ。若い人がいると、「なんだ、この変な人」みたいなふうにしか見られないだろうなという気持ちがありますね。古家先生などに対しては、全然気にならないし、そういう気の使い方はしないいんですが。

古家　四年目の男性職員も、「自分は昔、親にすごい暴力を受けていて、そういう親が大嫌いだったから、自分は絶対そういうふうにはなりたくないと、自分でずうっと我慢して抑えてきた。怒りすらないと思ってきたんだけれども、ここにいて子どもたちに関わり、彼らから粗暴な感じを受けると、瞬時にイラっとくる。でも、もしこのイライラを実際にぶつけてしまったら、取り返しのつかないことになってしまうのではないか。まして若い人の中で出してしまったら、絶対問題児扱いされるから、今はまだ出せない。どうしよう、どうしよう」という感じで相談に来るんですよ。

木村事務長がひきこもりだったということを知らない人が多いです。ですから私が宣伝して歩いてるんです。自分からは言わないから。

ひきこもりも、その人にとっては必要なことだったので、明るく、存在していいとアピールしています。

木村　自分の見方が合ってるかどうか分からないのですが、この人なら話しても大丈夫そうだなという人には言います。でも、たいていの人は言われても変に思うか、困るかだろうから、やっぱり言いませんけどね。

古家語録

木村　古家先生は、麦の子会を支える二大柱の一人なんです。一人は北川園長で、もう一人が古家先生なんですが、人として他人を傷つけることに対する感度がすごく高いんです。それに、「古家語録」みたいなものがいっぱいあって、印象に残るんです。何十年も前のことを覚えていたりして、観念的に人のアセスメント[*3]をする抑え方がすごい。表現の仕方が難しいので、なかなか理解できないことが多く、ちょっとした争いになることもあるんですが……。

私は、古家語録で印象に残るものをスマートフォンに記録していますので挙げてみます。

「二〇〇九年、追及。いろいろ言われると追及されている気分になってくるんですけれど、追及しているのではなく心配しているだけだから」だとか「あなたとは裏切りの人間関係ですね」「小さなことを必死にやる、それが命です。必死にやると人の必死さも分かる」。

私が家を買う時、「土着しなきゃ駄目。根無し草なんだから」。アパート住まいだとどこへでも引っ越せるし、いざとなったらどこかへ行くぞ、みたいな……。

古家　要するに逃亡。

木村　家を買ってしまったからもう動けない。

「二〇一一年。今ここに生きてることに感謝していないってことがあなたのつまずき」

「人間関係の中にいながら人間関係取れませんよ、というあなたの態度、ひどいじゃない」「人間って構造とカオスの繰り返しだよ」。すごくキャッチーで、かっこいいでしょう。私が語録として保存しているのは古家先生の言葉だけですから。

みな、一緒に生きていく

古家　発達障がいの人たちに出会って自閉症の勉強をするにつれ、霧が晴れてきたというか、自分がどうして小さい時から苦しんでいたのかが理解できた。ですからそういう人の生き方にすごく関心があるし、その人たちの才能が開いていくのを見るのが一番の楽しみ。

木村　それがすごい楽しみみたいですね。

古家　才能をどんどん発揮していく人のお手伝いができるということが、生きていく上で、一番の楽しみです。わくわくしますね。マネージャーたちなど、ある程度の人たちとはそういう会話をしているんです。職員が自分の生きづらさをみんなの前で話して、それをみんなでシェアし合ったりしています。

ものすごい虐待を受けたお母さんが職員になって仲間に入ったんですけれど、その人が、「自分が一番大変な思いをしたと思っていたけれど、すごいニコニコしていて頼り甲斐があるなぁ、と思っていた職員さんが、そんな苦しみを抱えていたなんて。自分だけじゃないんだ」ということを何人にも話していた。

「職員とか利用者などという立場を超えて、人間として共通の苦しみを持ちながら一緒に生きていこうよ」という、北川園長の発想からきているんです。私も「自分らしく生きていいんだよ」と言ってくれる北川園長の下で、自分らしい言葉をしゃべり、働いています。若い人たちも「自分らしさってどんなことなのかな」と追求する人たちが増えている。

違う価値観の人たちを尊重しながら、どう一緒に働いていけるのか、ということを模索し、進めていく。

そういう意味では、木村事務長はとても大切な存在です。ひきこもりで今事務長になっていることをアピールできている。本人は、またここで言うのかという感じで嫌がっていますが、若い人たちの前で話をすると、ひきこもりだった人にも優秀な人がいるんだな、と見てくれるので、差別というかそういうものを早く払拭してもらえる。

若い人たちにもいい影響を与えています。本人はいい影響を与えたいとは、思っていませんが。

木村　ただ怯えているだけです。どうせバカにされるんだろうなって。

古家　その感覚が、この本を出すことでなくなって、堂々と胸を張って生きて欲しいですね。

02

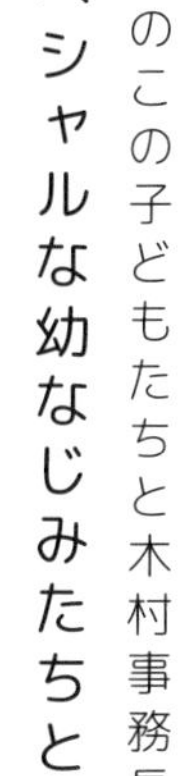

むぎのこの子どもたちと木村事務長

スペシャルな幼なじみたちと

木村事務長

Aさん
（J君のお母さん）

Bさん
（21）

Cさん
（21）

Dさん
（21）

Eさん
（20）

Fさん
（20）

Gさん
（20）

Hさん
（20）

Iさん
（21）

木村事務長との関わり

木村　小さい時から皆いたけれど、一緒に活動するようになったのは、小学校入学ぐらいから。日中は普通学級に行って、その後の放課後の活動を同じ年齢同士で行うということに関わるようになりました。私は、その頃何をやっていたのかな。

Cさん　どこかの事業所の管理者だった。

木村　ヘルパー事業所の管理者かな。ヘルパーの事務所は北二二条東一五丁目だった時もあるし、北三八条東八丁目だった時もある。子どもたちは、どこで活動していたのかな。

Bさん　シーランチ。

木村　アメリカ西海岸のサンフランシスコから北に何百キロか行った所にシーランチという別荘地のような場所があるんですよ。北川園長がアメリカの心理系大学院のスクーリングの時に、シーランチに招待されました。それにちなんでシーランチという名前になったんです。発達に心配のある学童が通う事業所で、放課後等デイサービスです。男子一〇人で女子も同じぐらい。Bちゃんは三人姉妹で、その姉妹ということで一緒に通っていたのかな。

Bさん　一歳の時に来ました。

Cさん　僕の子ども時代は、たぶん荒れていたと思います。自分では覚えていないのですが、多動で落ち着きがなかったと周りから聞いています。

Dさん　僕たちは、むぎのこの施設に柵とか付けさせた張本人です。飛び越えて逃げたり、むぎのこのホールのヒーター部分に僕がキーッとなって頭を打ったり、むぎのこの施設強化にいろいろ協力しました。

「キム」との初めての出会いは二歳の時なので、覚えていません。幼稚園に入ろうとしていたけれど、僕の場合、脱走とか落ち着きがないとか、そういうのがあって各幼稚園に断られ、ここを勧められて入ったと親から聞いています。

木村　E君も、多動だったけれど、けっこうお母さんが厳しかったんだよね。E君自身が発達的に難しいところがあって、お母さんがそれに耐えきれなくて。園長たちは、お母さんに会って子どもを見たら、すぐ「怪しいね」って分かるんです。

D君は、ちっちゃい頃は多動で、ちょっとしたことでも感情的になり、いろんなものを壊したりして大変でした。E君もそうでしたし。C君はあまり無かった。

Cさん　親からむぎのこに三歳の時に来たと聞いたんですけれど、D君とよく喧嘩をして、しょっちゅう古家先生に止められていたって。当時古家先生が僕とD君の担任でした。

Dさん　親も真反対というかね。僕の親はできて当たり前というか、褒めない親なんですが、C君は、逆に褒められすぎてダメだったんですよ。着替えなども、この子は小学校三年生でも一人で着替えができなかった。褒められすぎと褒められなさすぎの真反対。褒められて育ったほうが良かったんじゃないかなと思う。

Cさん　僕一人っ子なんで。

Dさん　僕も一人っ子です。

木村　Fちゃんは三歳の時から。この子は園長の里子さんです。園長の里子さんと私は結構関わりがあって、自宅に食事を作りに行ったり、お手伝いに行ったりすることが多かった。その広がりでみんなと関わった。

Fさん　お手伝いさんみたいに。お兄ちゃんは、二人とも障がいがあります。

木村　Fちゃんの実のお母さんはもう亡くなっています。お母さんが亡くなったのは三歳の時？

Fさん　三歳になる年の、まだ誕生日がきていない時です。

木村　大学生のG君はすごく静か。発達障がいといってもいろいろありまして、多動な子もいるし、しゃべらず静かな子もいる。こういう子は珍しいですけれどね。

Dさん　マスコミって勘違いしていることが多いですよね。見てて「何だ、これ！」って思います。

Aさん　コミュニケーションが苦手だから、ひきこもりと反抗期が一緒みたいな感じが特徴かな。

木村　I君も妹が重い自閉症で、その兄弟児としてむぎのこに。I君も学校に行っていない時期あったよね。

Iさん　あまり記憶にないけれど、小二か小三の時。でも行かなかったのは一年ぐらいだったから。中学には行っていた。

木村　高校は転校したものね。

Iさん　高校を転校して二年から北星余市に行きました。今は大学に行っています。

行動はいつも一緒に

木村　行事があれば一緒だし、旅行に行く時も一緒。

Dさん　ある意味キムは被害者だよね。

Fさん　なんで被害者?

Dさん　以前、山菜採りに行った時、キムが一番帰りたがっていた。みんなは翌日帰るのに、一人だけスーツケースを持って、すごい笑顔で、めっちゃ、手を振りながら、その日に一人で帰っていった。

木村　中学校の卒業旅行だよね。何か用事があって帰ったんですよ。

Aさん　この人たちの中学の卒業旅行でしたが、なるべく子どもたちだけで旅行しようということだったので、親がついていくと台無しになってしまうので、木村先生についていってもらった。親から自立させてくれる役割をとてもしてもらいました。

木村　アメリカにも行ったね。ヨセミテ国立公園に行きました。あれは小学校卒業の時かな。

Dさん　もうちょっと大きくなってから、連れていって欲しかったよね。

木村　なんで?

Dさん　だって、小学校の時に行ったって良さが分かんないじゃん。

木村　なるほど。今回も土・日に中頓別町長さんに招待されて、一七人ぐらいでコテージに行ったよね。一度、むぎのこの見学に町長さんと役場の方何人かがいらっしゃって、遊びに来てください、という話になったんです。

Aさん　園長先生には、子どもたちはこうしたほうが気持ちの成長とか、優しい子になるとか、仲間作りができるというような考えがあってやっているんじゃないかなと思います。初めて中頓別に行って、自分たちだけで泊まるというのもステップのひとつで、親がここまで介入してとか、職員がここまでついてとか、小さい時から丁寧にやってきてもらってきた子たちじゃないかなと思います。

木村　私は考えをもってやってはいないですよ。ただのひきこもりなのに、なぜか一緒に……。

Aさん　親が無理やり呼ぶんですよ。「あー、D君が暴れてる。キムを呼んで、呼んで」。そうするとダダダダダと駆けつけて来るという大事な役割を常に担っています。

木村　暴力系は私、みたいになっちゃった。女の子とはあんまり関わっていないですね。女の子たちは優しいですし。

Aさん　スキーを教えてもらったりしたこともあった。スポーツができるので、スキーや海に出かける時に、助けてもらう役で一緒についていってもらいました。溺れたら助ける。スキーで遭難したら助ける。やっぱり助けるという役でしたね。

木村　廃校になった当別の中小屋小学校を借りているので、高校受験の時は、受験合宿と称して夏休みに泊まり込みで、自分たちで食事を作ったりしました。中学二、三年生の時は、冬休みや夏休みにそういう活動をしたり、高校生になってからは自分たちで旅行を計画して、大阪に行ったり、熱海に行ったり。

Dさん　僕は行きたい人なんですが、行きたくない人がほとんどだと思います。

Cさん　あとは北九州へも行った。

木村　ホームレス支援で有名な奥田知志先生の東八幡教会に行って、ホームレスの炊き出しのボランティアをして、その後に礼拝に参加させてもらった。

Dさん　あれは行って良かったよね。北海道のホームレスは、午前中は地下歩行空間に入って寝て、午後は歩くという昼夜逆転の生活になっちゃうんです。なにも保障されていないというか、助けてもらっていないというか。北九州は炊き出しの際、フレンドリーに話してくれる。紙コップを「これもらっていいのか?」と聞かれたことがすごく衝撃でした。そういうこともあって、支援というか、手伝えて良かったなと思いました。

木村　奥田先生が支援している元ホームレスの人の講演を聞いたり、一緒にお話をしたり。何も知らないと単なる怖い存在で、「何だ、この人たち」というふうにしか思えないんだけれど、直に接したり、お話を聞いたりすると、そういう怖い存在じゃなくて、大変な人生を生きてきた人なんだな、ということが分かりました。

変化

Dさん　僕が変わったのは、かなり遅かったと思います。暴言もすごく吐いていました。
CSPというむぎのこが取り入れている教育法を導入したあたりから変わってきた。
どう怒りを鎮めるのか、どうしたらいいのか、自分の気持ちをうまく伝えられない。ちょっとしたことで、苛立って思いっきり幼なじみに当たっていく。本当に友達がいなくなる勢いでした。そういう感じなんですけれど、新しい教育法を取り入れていろいろやっていくうちに、中学二、三年からちょっとずつ変わっていった。

Fさん　キムはどうだったの？

Dさん　むぎのこにきて反抗したんじゃないの？　働き始めたころ、時間通りに仕事が終わらず、「帰れません」って言われた瞬間暴れて、後ろから鈴木先生がおさえたという武勇伝があったんじゃなかった？

Cさん　鈴木先生という、いま東京の厚生労働省にいる男の先生が、たまにこっちに帰ってきますが、その先生が、木村先生が暴れた時に止めに入った。

Fさん　その場面を見たけれど、よく覚えています。

木村　その時、むぎのこに勤めて二年目か三年目ぐらいだったんですけど……。ところで私はひきこもりですが、それをみんなはどういうふうに捉えているんですか？　こうなりたくないみたいに思ってる？

Dさん　キムはあまり人の前に出たがらないですね。前のほうに呼ばれても出たがらないし、人前に出ること自体があんまり好きじゃないというところが、ひきこもりらしい。

木村　私はむぎのこに来るまで、自分が衝動的に暴力を振るう人間だとは全く思っていなかったんですけれど、こちらに来てから、それが出てしまった。

小さい頃に喧嘩をしたことはあったけれども、カーッとなってもうどうにもならなくなるということが、三〇歳を過ぎてこちらに来てからあったので、暴れたりする子たちの気持ちが分かるというか、共感できたかなと思います。あとは、一般的な社会ではそれぞれに生きづらさがあって、私もひきこもりなので、その辺で繋がっているところがあるのかなと。それに対して子どもたちは偏見もないし、むしろ優しい。言葉にはあまりしないけれど、お互い励まし合うみたいな存在として。

Cさん　外の現実は厳しいですね。同じ境遇の人が中にはいると思うんですが、なかなか名乗り出る人もいなくて。普段は僕も東京の大学に行っているんですけれども、僕と一緒に入った大学の友人も、学校が合わないとか、周りの人とうまく付き合うのが苦手で休学している子とか、いっぱいいるので。だから、ここに来てたまにみんなに会うほうが楽ですね。

木村　大人にも同じ問題を抱えた人たち同士のグループカウンセリングがありますが、この子たちは小さい頃から、そのグループカウンセリング的なことをやっているので、すごく恵まれている。

Dさん　キムは、いたらいたで男子に囲まれてめちゃくちゃいじり倒される。

木村　そんなにリアクションしないけれどね。

Dさん　友達感覚でみんながキムを囲んで話をします。

むぎのこという存在

Dさん　むぎのこを一言で言うと、いい所。たぶん自分がむぎのこに入っていなかったら、犯罪歴が何個もつくと思う。暴力が抑えられないので、暴力行為ですぐ少年院ですね。むぎのこに来たことによって犯罪歴がつかずに済んだ。

Gさん　最近思ったんですが、自分の田舎みたい。知り合いが結構むぎのこにいるので、都会みたいに周りは知らない人が多いという状態じゃない。そういうの見ると、田舎に似てるかなって。

木村　田舎の親戚みたいな？

Gさん　そう。

Cさん　僕にとっては、落ち着く場所だなというのがある。高校の時から広島県の高校に行っていて、今は東京の大学で福祉について学んでいるんですけれど、見ず知らずの所に行くので、僕の中では戦場で、なんとか今頑張っている状態です。ここに帰ってくると、知っている顔が多いので、やっぱりいいなと。親とうまくいかなかった時も、近くにこういった所があるので、すぐ助けを求められる。個人的にはそれがいいかな。

Eさん　すごく落ち着く。

木村　E君はいま、ここのジャンプレッツという就労移行支援事業で、各事業所の掃除とか給食の配達とか、すごく頑張ってやってくれています。

Bさん　学校だったら猫をかぶらないといられないけれど、こういう所だったら、そのままでいられるので楽です。

木村　学校では友達作れないからね。

Bさん　友達は普通にできるよ。

木村　あら、そうかい。Hちゃんはむぎのこを一言で言うと？

Hさん　そんなに考えたことはないけれど、なんだろう、みんな言ってるような感じかもしれないけれど、ここはいつ来ても普通にいられる場所かな。

Dさん　けっこう折れまくりの人生ですから、ここに常に帰ってきている。

木村　D君は、C君と同じ広島の高校に行ったんだけれど……。

Dさん　広島の学校の雰囲気がすごく良かったんですよ。先生も優しかったんです。でもやっぱり友人関係が難しくて。嫌で「この学校くそ食らえだ」って辞めたわけじゃなくて、人の関係がちょっと嫌になって。一年の最後に、友達もできなかったし、僕が良くないんだけれど、上の先輩から、目をつけられるなど、いろいろあって、北星余市に行くことにしました。

木村　今は大学に入ったんだけど、またそこでも困難がある。

Dさん　大学の人と一緒にバス乗って帰ったり、しゃべったりするのが嫌になった。こういうふうにおしゃべりが大好きで、すごくしゃべるんだけれども、学校という違う所に出ると、まったくダメで、このキャラじゃなくなる。

Cさん　僕も普段は東京にいるんですけれど、東京って人が多いので、なるべく人のいないところを、自転車で一五分ぐらいかけて大学に通っています。でも雨などの時は、僕の大学の近くにICU（国際基督教大学）があり、そこ行きのバスに乗らないと僕が行く大学には行けないので、そのバスに乗る。でも学生がいっぱいいるし、当然自分が知っている大学の人もいるので、面倒くさいなって。話をしたこともあって、授業も一緒で、ご飯も食べる大学の友人なら慣れているんですけど、違う相手になると慣れるのに時間がかかります。

Dさん　大学で一人になる場所がないっていうのがすごく苦しかったですね。どこに行っても人がいるという感じがすごくつらかった。むぎのこ以外の人と関われるというのは、ちょっとした才能だなと思って。今普通に話せていますけど、キムのことだからしゃべれるんですよ。

むぎのこで訓練したおかげもありまして、店の店員さんとかとは普通にしゃべれるんですけれど、ストレスというか、我慢が必要です。

思い出

Hさん　小学校低学年の時、ピアノの練習をいつもFと一緒に教えてもらっていたんだけれど、なにかの時に、キムのことを普通に見ていたら、「お母さんと同じような見方で僕を見るんですね」って言われた。なんでそんなことを言うんだろうと思ったので、印象に残っています。

木村　初めの頃、Hちゃんのお母さんは私のことをゲテモノ扱いですよ。だから多分そのことを言ったんだと思う。

Fさん　キムは一人が好き。本大好き。あとはピアノが好きですよね。

Bさん　いつもジョークを言うし、何か当たり前の存在という感じがあります。

Aさん　親戚のおじさんみたいというのが一番近いよね。
Fさん　お兄さんじゃないな。歳が離れすぎてる。
Aさん　親戚のおじさんっていうか、身近なおじさん。
Dさん　将来独身サークルを築くんです。キムは結婚しないらしいし。
Aさん　中学生の真ん中ぐらいまで、びっしり行事も旅行も一緒だったので、当然いる人みたいな感じがあるのかなと思います。
木村　特に優しい人というわけでもないし、特別いい人というわけでもないしね。ただ一緒に暮らしてきたってだけで、基本的にはなにもない。
Dさん　やっぱり、俺の暴れるのを一番押さえた人じゃない？
木村　中学ぐらいからはそんなに暴れなくなった。大きい体を押さえた記憶がないから。
Aさん　中二ぐらいまでかな。とにかく家から出なかった。
木村　朝なかなか起きなくて、毎日のように起こしに行っていた。
Aさん　女性が起こすのは難しいので、木村先生によく行ってもらいました。

Dさん　毎日「今日は誰が起こしに来るんだろうな、ふふ」「あ、今日もキムか」「また今日もキムか」「あ、今日は鈴木なんだ」「あ、今日は高田なんだ。珍しいな」って。

Aさん　C君、D君、I君あたりが喧嘩をしていた時もあって、木村先生に仲裁に入ってもらった記憶があります。男同士の喧嘩のことをおばさんじゃあ、とてもアドバイスできないところに入ってくれて、大人の男性として止めてもらったり、アドバイスしてもらったり。男の子の気持ちの難しいところを聞いてもらったなって。激しい喧嘩をするんですよ。今はしませんが。

Dさん　小さい頃は毎回Cが僕に馬乗りになった。僕のほうが明らかに小さくて、体格が違ったので。穏やかな顔をしているけれどすごくて。野球のボールを持って脅かしに来ていた。

Aさん　思春期の頃は、木村先生には大人として言い合いの仲裁にいつも入ってもらっていた。男子の仲裁には常に入ってもらっていましたね。同じ立場で「君たちも大変だけど、僕も大変なんだよ」みたいに上から目線では言わないところがいいところですね。

Dさん　自分は支援者です的な感じの立場では来ない。

Aさん　常に同じ目線だよね。

勉強

Aさん　かなり長い間この子たちの勉強を教えてもらいました。男子のチームは中一から、女子のチームは中三まで、木村塾でびっしり勉強したんですよ。合宿までしていただいて。ものすごく勉強を教えてもらいました。ゲーム依存などもあったので、男子は寝泊まりして支援してもらった。

木村　初めの頃は勉強というより、時間通りに生活して、習慣作りをするみたいなことをしていました。

Aさん　一緒に勉強する中で、人間関係の強弱などがあったりするのを見てもらったりとか。例えばG君はおとなしくて、ちょっと強い子たちにやられがちな部分もあったので、それを見守ってもらったりしました。

Gさん　小学校三年生の時に、E君と一緒に塾でするような勉強をしました。それぐらいですね。暴れることも特になかった。

Dさん　今はあまり会うことがなくなってしまったからね。一週間に一回「あ」「おう」みたいに。

木村　高校の時は、夕方七時、八時に集まって勉強していました。

Aさん　本当に勉強はがっちり教えてもらいました。親としては、子ども育てるのに一緒に育ててもらったというのが一番。自然にそばにいたから、子どもたちはあまりありがたいと思わないかもしれない。昔で言うと、長屋などの横にいつも世話をしてくれるおばちゃんがいた。でもある一定の年齢になったら、もうおばちゃんの世話はいらなくなった。そういうものに近いんだと思います。さっきG君が言った「田舎みたい」というのがぴったり。だからみんな疎遠になったというのとも違っている。

今は定期的な顔合わせはないんですけれど、行事とか活動などで顔を合わせます。夜も私のデイサービスのところでアルバイトしている人が何人もいますし、「週に一回か二回ぐらいは必ず来てね」と言っているので、みな来てくれます。

これから

Aさん　男子は、「みんなが成人したらお酒をご馳走になろう」という目標があるようですが……。

Dさん　二〇二〇年に。

木村　この年代のグループは同窓会じゃないですけれど、ずっと関係が続きそうな感じですね。私も一緒に今までの感じで付き合ってもらえるのかなと思います。

Dさん　木村先生のおかげで僕の今日があると、心の手が挙がってる人は何名かはいるんじゃないですかね。

Aさん　一〇〇パーセント恩師なんですけれど、関係が対等すぎて。もう本当に「This is a pen」あたりから、びっしり教えてもらっているので。それなくしては高校受験とか、絶対対応できなかったなって。すぐ寝てしまうので、寝ているのを起こす。そこまで一緒にやったので、大学にも繋がっている。でも関係性が対等だから「先生」というものではない。

Dさん　うちらの学年は一番仲がいいと僕は自信をもって言えます。ちょっと下の学年のグループ見てもらえれば本当に違います。こんなに仲がいいなんてことはあり得ないですから。
犯罪起こしてしまった子の親がテレビなどで「なんでうちの息子はこうなってしまったんだ」って言っているニュースをよく観ますが、子どもが暴力を振るうとか、何かをしでかすというのは、「子どものせいじゃない!」って、僕はテレビを観ながら思います。親次第で子どもは変わりますから。

03

むぎのこのお母さんたちと木村事務長

支えられたり支えたり

木村事務長

古家統括部長

Qさん

Aさん

Pさん

Oさん

Nさん

Mさん

Lさん

麦の子会との出会い

Lさん　むぎのこが無認可の時から木村先生にお世話になっています。今は息子が生活介護ハーベストに行っているので、三歳から二六歳までずっとお世話になっていることになります。

Mさん　うちもそうですね。認可になる半年前、息子が三歳の時から二六歳になる今まで、ずっとお世話になっています。

Nさん　私もむぎのこには子どもが三歳の時から来て、ずっと今もお世話になっています。

Lさん　一歳六カ月検診で、「心配があるけれども単語をしゃべっているので大丈夫でしょう」と言われたんですが、私も自分の子に障がいがあるとは認めたくなかったので、「いや、これはただの遅れだ」と思っていました。でも子どもがじっとしていられないんです。公園でも絶えず動き回っているし、しゃべらないし、突然泣き叫んだり、パニックになったりするようなことが三歳前後からあって、おかしいなとは思っていたんですが……。「すぐに児童相談所に行ってください」と言われ、そこで専門の先生に診てもらいました。自閉症です。療育が必要ということで、むぎのこを紹介されました。むぎのこに電話したら、折り返し北川先生から連絡があり、「すぐ来てください」ということで、一九九四年二月から通っています。うちの親に「自閉症じゃないの」と言われていたんですが、私自身認めたくなくて、ずらしていました。

Mさん　私もそうです。歩き始めてすぐに、興味あるものに向かって行ったり、親から離れても黙々と行ったりするので、一歳半検診の時に相談したんですが、「元気のいいお子さんですね。様子を見ましょう」と言われて……。毎日とにかく多動だったり、今でいう睡眠障がいなんでしょうけれど、夜中の一時まで寝なかったり、早く寝たら寝たで六時間でぴったり起きたり。集合住宅に住んでいたので音も気になったし。

Nさん
埼玉県から転勤でこちらに来たんですが、三歳児検診の時に「とにかく日々過ごすのが大変なのでどこかに通いたい」と相談したら、「すぐ受け入れてくれるよ」と、むぎのこを紹介されました。

私も息子が一歳半の時の検診で、「ちょっと遅れがあるが、男の子は遅いからもう少し様子を見ましょう」と言われました。私も認めたくなかったので、頑張れば普通に戻るんじゃないかと、三歳まで引っ張ってしまった。公園に行っても同じくらいの子とは、遊び方が全然違うんですよ。だいたい子どもたちと一緒に遊ぶことができないし、公園に行っても端を走り回ったり、高い所に登ったり、他の子とは動きが全然違っていて、外に出すのが嫌になるぐらいだったんですが、外に出さないと夜寝なかったりで、家の中にはいられませんでした。

三歳児検診の時に、児童相談所からむぎのこを紹介されました。でも電話をしたらむぎのこに「いっぱいだ」と言われたんです。それでしばらくは週一回、児童相談所にあるプレイという、そういう子たちが集まる所に通っていましたが、そこで「むぎのこさんに本当に行きたいんだったら、電話だけじゃなくて行ってみたらいいよ」とアドバイスをもらい、直接行ってみるとすぐに入れてくれました。Lさんと同じくらいに入ったんですよね。Mさんは歳が一つ下なので、その後かなと思うんですけれども、それ以来のお付き合いです。

Lさん　家の方向が同じだったので一緒に通っていました。

Nさん　自分の子どもだけがおかしいと思っていたのに、同じような悩みを抱えていたので、励みというか、仲間意識というか、助け合えました。助け合うようになるのはもっと後なんですが……。

自分の子だけで精一杯なのに、人の子を預かるなんてできないじゃないですか。でも「そういうことをするものだよ」と先生に教えてもらい「ああそうかー」って。お互いの子どものことをここにいて見始めたので、少しずつ分かるようになりました。

「こういう研修に行ったらいいよ」と誘われたけれど、息子がいるから行けない、という時があったんですが、そういう時には預かってくれたり、うちに連れて帰ってくれたり、そういうふうにして、すごく助けてもらいました。自分もやってもらい、私もやってあげる、というようなことが少しずつできるようになってきたという感じですね。

Oさん　うちの子は今、二一歳ですが、通い始めたのは二歳三カ月くらいの時だったと思います。

一歳半検診時、明らかに行動が他の子と違ったので引っかかって……。言葉をしゃべらないということもあったんですけれど、多動がすごくて。検診している部屋のロッカーを全部開けてしまって、それを止めたら、「うわー」っとパニックになってすごかったんです。それで別室に呼ばれ、まだ一歳半なので通える所がないので、一週間に一度「さぽこ」という所にとりあえず通ってみませんかと言われました。すごい多動だったので通うのも大変でした。そこが三月で終了となったので、「毎日行ける施設をどこか紹介してください」とお願いしたところ、むぎのこを紹介してもらって、見学に来たんです。

Aさん　釧路でADHDの診断を受け、三歳の時に札幌に来て、最初東区の病院を紹介され、そこに行っていたんですけれど、「児童相談所に行ったほうがいいよ」と言われ、そこで検診を受けた先生からむぎのこを紹介されました。うちの子もすごい多動児です。ヘルパーのMさんとかLさんにお世話していただきました。多動児は治ると思って、いっぱい叩いたり、怒ったりしたので余計多動児になってしまいました。それでむぎのこに来て療育を受け、今は大学生になり、大学不登校をしているんですが、おかげさまでそこまで成長しているのかなと感じています。

Qさん　私たちはむぎのこには二歳一〇カ月から通いだしました。ただ言葉が遅いという感じだったので、保健センターの人に相談をして、通うことになったんですけれど、通ったらすぐ言葉が出て、「あ、じゃあもうこれでいいわ」と思いました。でも、まったくそうじゃなかった。私がそれに対して〇歳の頃からイライラして、ずっと厳しく育てていたので、気持ちもやる気も弱い子の部分がむぎのこでバーっと出てきたのですが、すごく励ましてもらったり、育ててもらったりして今があるのだなと思います。あの時「言葉が出たからいいわ、やめる」と、幼稚園に行こうとも考えていたんですけれど、行っていたら今のうちの子はいないですね。生きてるかどうかも分からない。

Pさん　うちはちょっと大人しいタイプなので、一歳半検診では私もあまり困っていませんでしたが、目が合わないとか、言葉が遅かった。歩くのも一歳五カ月と遅かったんですが、一歳半までにはできたので、様子を見ましょうということになりました。二歳検診でも様子を見ましょうとなり、三歳の時に行こうかなと思っていたら、掛かり付けの小児科の先生が、専門医を紹介してくれて、「さつぽ」に通い、むぎのこに来ました。
最初は本当に大人しい子で、一人遊びをずっとしている子でした。介入すると払われたりして、嫌がられるので、ほったらかしにしてずっと家事をしたりしていました。でも絶対治そうと思っていました。頑張って通いさえすれば治ると思っていて、年長から幼稚園に入れようと思い、毎日母子通いをしていました。

最初リズムなども、手をひいたらさっと立つし、動くし、座るし、全然困っていなかったんです。うちの子軽いんだ、と思っていたんですけど、そうじゃなくて、ただ固まっていただけ。

小さい時、一緒に楽しんで遊ぶという発想がなかったというか、治すことに懸命というか……。小児精神科の先生の所に通い始めても、「お母さんは、お母さんというよりも専門家みたいですね」と言われたことを、褒め言葉だと思っていたぐらいで、親子の距離がすごく遠かったんです。しかし、「母子通い、お母さんも疲れているから、そんなに頑張らなくていいから」と言われたので、先生たちにかわいがってもらっているうちに、他人に関心を持つようになり、他害が出始めました。とても悪くなっていると思い、すごく嫌でした。そんな感じで、ずうっと監視の目で見ていたので、親子関係がとても遠くなりました。

年少ぐらいの時にグループに入り「木村先生ってひきこもりだったのよ」と言われた時に、「先生、先生、どうしたら先生みたいにひきこもらないですみますか」と聞いたら、「それはただ無条件に愛することです」って言われたんです。それまでは、すごく勉強をしなければいけないと思っていたので、「あーなんだ、そんなことだけなんですね」と肩の力が抜けました。そんなエピソードがあります。

長男も発達障がいなんですが、知的には遅れがなく、むしろ賢かったので、何でもできました。しかし対人がすごく苦手です。本音を言ったりできる友達というのが、学年に一人、二人いるかいないかくらいの感じで、自分から話しかけることもできない。小学校時代はずっと自由帳にクイズを書いたり、迷路を書いたりして、「あー、面白そうだからやらせて」と誰かが寄ってきてくれるのを待つような状態で、一年の間に自由帳を一〇冊以上使っているような子だったんです。手帳は取れなかったんですけれど、園長や古家先生も「心配だからおいで」と言ってくれて、一緒にキャンプに連れていってもらうなど、お兄ちゃんもすごく関わらせてもらっています。下の子もD君・J君たちと同級生なので、何か全体でイベントがあって行くとなると、うちの子はD君たちのチームに入り、木村先生に一緒に連れてってもらうとか、そんな感じで過ごしています。

次男はいまトリニティという生活介護のほうにいます。小学校も普通学級に籍をおいていたんですが、ほとんど行事登校しかしていなくて、中学も行事登校だけでした。高校は行かずに、ジャンプレッツの生活改善に行って、今年からはトリニティという生活介護ができたので、そこで生活してます。幼児期はヘルパーのLさんとMさんにすごくお世話になりました。Lさんは男の子三人のお母さんだから、「分かるよ、分かるよ」っていろいろ言ってくれて。下の子のことで来ているんですが、お兄ちゃんの相手もずっとしてもらって……。

Lさん　対人が苦手で、ひきこもり系の高次脳という感じが、うちの次男ととてもよく似ている。そんな話をしていました。
三男のほうは今生活介護のハーベストにいます。週に何回か外販で出て歩き、あとは日中活動でフラダンスやガーデニングをしたり、車を洗ったり、そういう作業をしており、平日はグループホームで生活しています。

Mさん　麦の子会のジャンプレッツに行っているんですけれど、生活介護で日中は体操とか洗車などの行事に参加させてもらっています。住んでいるのはグループホームです。

Oさん　息子は、小学校の高学年から中学校まで不登校でしたが、高校は最初広島県の高校に進学しました。でも、寮の人たちと生活するのが難しかったので、北星余市高校に転校し、大学に進学しました。大学も不登校になり、ひきこもりになって昼夜逆転し、ちょっと鬱っぽくなってしまったので、今はジャンプレッツで、就労移行支援事業で給食を運んだり、作ったりしています。

Aさん　息子のJも今、不登校というか、大学まで行ってはいるんですけれど、この先どうするのかなという感じですね。

Qさん　息子のEは昨春に高校を卒業して、今就労支援事業で頑張っています。事務長には本当に良くしてもらいました。泣けてきちゃう。

木村　E君は、毎日のように物を壊していましたね。

Qさん　小学校ぐらいからすごくなりました。デイサービスのチェリーブロッサムで暴れるわ、殴るわ、投げるわでほんといろんなことをしていました。家では私が怖いのできちんとしていました。木村先生には、そんな暮らしをフォローしてもらって……。学校に行く、行かないという時に、木村先生も必ず来てくれて、スッと座ると空気が一変しました。ほんと一生懸命やってくれました。

木村　私がということでもなく、外の風が入ると変わるんですよ。

Qさん　励ましてもらって、なんとか学校に行くんですよね。やらなければいけないこともずっとしてもらいました。お風呂に入れるようにもなりました。大浴場に子どもたちだけで入る時にいつも来てもらっ

て。他の入浴客に怒られたりした時も、いつも頭を下げてもらった
し、これは良くないことだというのを自然に教えてもらい、ある程
度の年齢になったら子どもたちだけで入れるようになりました。そ
ういうことをいつもしてもらいました。

フロンティアグループと一歳半検診早期療育グループ

古家　Lさん・Mさん・Nさんたちの世代は三歳児検診で様子を見ましょ
うということで来る子どもが多く、重度の子どももすごく多いんで
す。
二〇年近く前だと思うんですけれども、一歳半検診を札幌市がフォ
ローアップしましょうということになって、特別に保育士さんを何
人か児童相談所で雇ったんです。その時から早期療育となり、札幌
市が『さっぽ・こどもの広場』で月に一回子どもたちを遊ばせて様
子を見たり、保健センターや児童相談所で週一回子どもたちを集め、

保育についてお母さんたちの相談にのったりするなど、時代が変わりました。その時、札幌のケースワーカーさんが早期療育を受けさせようということで、頑張ってくださった。それで、全市内軽症化が進んだんです。むぎのこを紹介したけれど、ちゃんと通っているかどうか確認しに来た、熱心なケースワーカーさんもいました。それで最初定員三〇名でしたが、児童相談所から紹介されて来る子どもが増えて、定員を四七名に増やしました。

だから、Lさん・Mさん・NさんのフロンティアグループとAさん・Oさん・Pさん・Qさんの一歳半検診早期療育グループとでは、親の障がいに対する意識が変わったと思います。

フロンティアグループに対しては「諦めるんじゃない、諦めるんじゃない」と毎日のように言い続けました。社会がすでに諦めているから、もう頑張れない。だから「諦めるんじゃない、諦めるんじゃない」と言い続けてきて、一緒に生きてきた感じです。Nさんなどは児童精神科医に「この子は一生言葉が出ない」と言われた時代だったんですよ。
一歳半検診早期療育グループからは、親も希望を持って頑張れる可能性のある時代になりました。その時、木村先生が、この人たちの救い主、諦めない人間として登場したわけです。

Nさん　恥ずかしい話ですが、私、自閉症というものを何も知らなくて。自閉症と診断された時、「自閉症って風邪をひいた時のように治るんですよね」みたいなことを言ったら、その医師に「いやー」と濁されて、すごくつらかった覚えがあります。まるで「がん」みたいに言われたような気がして「ああ、もう治らないんだ」と思った記憶があります。
むぎのこに入っても、うちの子は言葉もなかったし、人とは関わり合えなかった。だけどむぎのこに通って何日か目にあった親同士の話し合いの時に、私、泣きながら、つらかったことなどをしゃべっていたんです。そうしたら急に息子が暴れ出して、他害をすごくするようになり、それを見て、「わー、何てことになったんだ」と思ったんですけれど、古家先生から、「これは人のほうに目を向けるようになったんだからいいことなの。だからお母さん頑張れ」みたいなことを言われました。「えー、これがいいの？　でも嫌だ」。そういうことの繰り返しで毎日来たなというふうに私は思います。ある先生が「自閉症の子の半分は、言葉が出ないまま死んでいく」という話をされたんですよ。それを聞いて私は、うちの子はそのタイプだなとずっと思っていたんです。後から「子どもさんはその部類に入る」と先生が言っていたと聞いて、「ああ、やっぱりなー」と思い、「息子はもう何もできないんだ」と泣いていたら、北川園長が「言葉も出るし、字も書けるようになるよ」とさらっと言ってくれたので「もしかしたら、うちの子はできるんだ」という気持ちになり、支えられたというか、信じられました。今は自分の名前だけですけれど、書くことができます。話もオウム返しが多いのですが、自分のやりたいことを言えます。二〇歳の時に「息子さんにも携帯を買ってあげたらいいのでは？」と古家先生に言われました。まだ言葉もそんなに出せていないのに、渡してどうするんだと思いましたが、息子が初めて自分から古家先生に「おはよう」と言ったので、コミュニケーション力をつけるためにも先生がそう言うなら持たせてみようと思い、持たせることにしました。古家先生が「毎週日曜日、私にメールするようにして。一緒に過ごすことが大事だから」とおっしゃいました。そうしたら「こんばんは。○○です」まではちゃんと打てるようになって、「今日何した?」「どこ行った?」などと、少しずつですが自分で打てるようになってきました。

育て方を学ぶ

Aさん　私は他の人とは違って、虐待する親だったので、叩いたりしないことや子どもを怒鳴ったりしないということを教えてもらいました。とにかく子どもとの関わり方が乱暴でした。自分だけでは育てられないのに、何とかしようとするけれど、多動児の子って何ともならない。ものすごく動くんですよ。とにかくひっきりなしに動いているので怪我もする。でも本当は優しく関わらなければいけないのだけれど、親子でそれは不可能なので、ここに来て子どもを怒らない。あとは同じように困ってる他のお母さん方と協力して子育てをする。その時木村先生にすごくお世話になりました。

小学校に入るぐらいの時に、グループカウンセリングがあります。古家先生がカウンセラーで、みんなで困っていることを話し合い、お互いに気持ちを共感しあったりして、親が仲間づくりをします。そして子どもをその中で育てる。親が仲間になると子どもも仲間になるということを教わりました。いろいろもめ事はあるんですが、小学生くらいになったら今度は親だけで子どもをみていく。これはフロンティアグループ世代のLさんやMさんが元々やっていたんですが、子どもと親だけで療育すると、やはりもめてしまうので、木村先生に入ってもらった。木村先生がいるから子どもたちも安心していたんです。合宿したり、スキーに行ったり、不登校になったら勉強会をしたり、あらゆることを一緒にやってもらった。

木村　といいましても、私自体キャンプなどが大嫌いなので、その度に「えー」っていう感じでやっていただけです。フロンティアグループの子たちの場合は、午前中の活動として、日課的にやっていたので、そこまで嫌ではなかったんですが、一歳半検診早期療育グループの子の場合は泊りがあるなど、もう生活なんですよ。

Aさん　うちの学年は不登校が多かったので、朝ちょっと暴れるD君を木村先生が迎えに来ていた。

木村　フロンティアグループのお子さんたちのほうが、障がいは重いのですが、一歳半検診早期療育グループのほうが関わりが大変でした。D君などはほとんど毎日朝起こしに行きましたからね。

Oさん　昼夜逆転していたので、朝起きられなかった。暴力がすごかったんですが、木村先生にすごく助けてもらいました。

木村　ここのグループは、男子九人みんなで四年生の時からクラシックバレエを始めたんですよ。まさかバレエとは。でも毎年の発表会は楽しみでした。

Aさん　もう大変でした。スタジオから脱走とか、地下鉄から脱走とか。

Oさん　いやー、いろいろありました。家出したんですよ。もうバレエをやめたいからと、いなくなった。

Aさん　その都度探してもらいました。あとは不登校になってギューンって沈んだ時にも男子四、五人とゲームなどに頼る生活から脱却するための合宿など、あらゆる寝泊まりで、木村先生には寝食ともに支援してもらいました。

木村事務長のエピソード

Lさん　小学校の低学年の時に、木村先生に勉強もみてもらっていました。「うちの子はこんなもんだろう。どうせできないだろう」みたいな諦めの気持ちが絶えず私の中にありました。でも木村先生が、勉強をみた時に、「他の同級生の子と同じように一緒にやればいいだけですよ」と言ってくれました。その時教科書を持ってむぎのこを歩いてる我が子を見て、涙目になったことがありました。

Mさん　うちはLさんやNさんのお子さんよりもう少し重度なんですが、体も健康だし、動き回るほうだったので、木村先生には、三角山や公園・プール・海などにずっと一緒に行ってもらいました。

木村　Mさんのお子さんは他害が激しくなった時期があったので、そういう時には合宿をしたり、他の先生の所に泊まりで行ったりしました。そういう時は私もかなりイライラして、怒鳴ったりしてお子さんには申し訳ないことをしました。

Mさん　園長にアドバイスをもらって、外のほうに合宿に行きましたし、先生たちに時間外にもみてもらったり、泊めてもらってみてもらったり、すごく助けてもらいました。

Oさん　私もいろいろなことで木村先生にすごくお世話になっています。息子は小学校も中学校も行っていないし、昼間は寝ていて夜起きているような感じで、暴力もすごくて、殺されちゃうのかなと思ったこともありました。

この子はいつ暴力を止めるのかなと思った時期に、ずいぶん助けてもらった。暴力が落ち着いてきた時に、突然息子が「キムみたいになりたいな」って言ったんですよ。「なに？　どこをどういうふうに？」って聞いたら、「キムはパソコンで何でもできるから、俺もああいうふうになりたいな」って言って、自分でいろんなことを調べてパソコンをやりだして、結構いろいろできるようになり、それが自信になったりしています。

Aさん　「お世話になった人を見て、そういうふうに思っているんだな。父親がいないので、ありがたいな」と思いました。

D君など何人かで始めた合宿の時は、みんな人生のどん底みたいな時期だったので、勉強しても一五分ぐらいでストレスが強過ぎて寝ちゃうんですよ。木村先生と一緒にゲームとかテレビを遮断して、生活やメンタルを立て直す合宿をしたんですが、木村先生に一番お世話になっているんじゃないかな。
合宿以外でも、当別の中小屋小学校を借りているんですが、そこで行事をするためにみんなで草刈りなどを行います。そういうことにも木村先生は一緒に参加してくれます。木村先生がいると何がいいかと言うと、親って子どもにしつこくしたり、怒ったりするんですけれど、そんな時にパッと入って止めてくれる。中学生の思春期ぐらいになると男の子は母親の言うことを聞かないので、父親の存在が必要となるのですが、ほとんど木村先生ともう一人の男性職員に、母親がガーガーガーガー言うのを止めてもらう役割を担ってもらいました。木村先生はいい人なので、卒業旅行などにも一緒に来てくれました。嫌々の時も多いですが……。

木村　私は常に嫌です。「よし、やってやろう」という思いではやっていない。嫌々にもかかわらず、みなさんに受け入れていただいたという面が、すごくあります。

Aさん　でも帰ってきたら、「成長した」ってホロッと泣いてくれて、親でも泣かないのに、なんていい人なんだろうって。

木村　嫌々なんだけれど、やったあとは結構感動しますね。

Aさん　毎回卒業式とかバレエの発表会の度に感動で涙してくれるのを見ると、「こうやって涙してくれる人がいるんだな。ありがたいな」ってその都度思っています。

木村　大変な時間に対して、感動の時間が短いのが少し悲しい。

Aさん　発達障がいの子どもだから、親が構いすぎるのもあるし。

木村　確かにね。ここのグループのお母さんたちうるさいんですよ。私の一〇〇倍話しますから。全員そうですよね。

Oさん　「静かにしてください」ってよく言われました。

木村　口多動な人たちばっかりで。

Aさん　そこを木村先生が落ち着かせたというか、母親を遮断してまとめてくれるお父さんの役割を一手にやってくれたのがすごくありがたかった。

木村　園長の所に男女の里子さんが二人いますが、たまたまその子たちの面倒を見る機会があって、その子たちとみんなが同じ学年だったので、併せて一緒にいる年月が長くなりました。他の学年の子たちに対しては、どぎまぎして、あまり関われません。この学年だけですね。

自覚がなかった発達障がい

Nさん　うちの子も、一〇歳の時にすごく他害がひどくて、見る人見る人、かじったり、蹴ったりしたすごい時期があったんです。その時みんなにお世話になったんですが、何でしょう、獣みたいな目をしていたんですよね。私にもひどくかじってきましたが、一カ月ぐらい我慢していたんです。普通に「今日は終わった。じゃあ園長に挨拶して帰ろう」と思い、「じゃあこれで帰ります。さようなら」と園長の所に挨拶に行った時に、私の目が腫れていたんですね。その顔を園長が見て、「どうしたの？」って。「息子に頭突きされました」と言ったら「そんなんだったら施設行きになっちゃうよ」って言われたんです。私その時はもうどうにでもなれという気持ちだったので、「もう息子なんて施設でもどこでも行ってしまえばいい」と言ったんです。そうしたら園長が「施設でもどこでも行ってしまえというお母さんの気持ちは悪くないよ。でもそういわれた息子さんがかわいそうだから、今日は息子さんを置いて帰りなさい」と言ってくれたんですよね。その頃はまだショートステイなどなくて、園長が自分の家に連れて帰ってくれるという意味だったんです。「え？」って思ったんですが、もう自分ではどうしようもなかったので、「お願いします」と頼んで、泣きながら帰りました。もう一泊泊めてもらいなさいと仲間に言われたので、「もう一泊泊めてください」と園長にお願いしました。頼み終わって、息子がドアを出る時に「良かった。助かった」と言ったのを聞いて、「そうだな。私もだ」と思いました。

それから後の話で、木村先生が私の所に来て、「息子さんはどうしてあんな獣みたいな目をしているんですか」と聞いたことがあったんです。「ほんとのことをそのまま言う人だな」と思ったんですが、突き放す感じではなくて、どうしたらいいのだろうという類いのものでした。

木村　それは、私が発達障がいだからです。

Nさん　あはは（笑）そうですか。その言葉を聞いてすごく冷たく感じる部分もありましたが、「その通りだな。自分がそうしたのを忘れちゃいけないな」と思う部分もありました。これがむぎのこに入ってからの大きな出来事のひとつだと思います。

木村　自分のことを発達障がいだとは思っていなかったんですが、CSPというペアレントトレーニングのプログラムを教えてくださっている先生が、私に直接ではないけれど、「木村さんは発達障がいだよね」って言っていたと聞いて、「えー、そうなの？　発達障がいなの？」って。園長や古家先生に「あんたも自閉症だね。発達障がいね」とよく言われるけれども、「広い意味で言っているんだな。そういう面もあるな」ぐらいには思っていたんですが、その先生に言われて、「自分は発達障がいなんだ」と思いました。

古家　最近大人の発達障がいの本がいろいろ出ているので、そういうのを読むと、一対一だと話せるけれど複数の雑談は苦手とか、相手のことを考えずパッと言いたいことを言うとか、結構当てはまることが書いてあります。自分の性格の悪さなのかなと思っていたんですが、発達障がいの面もあるのかと、最近思い始めているこのごろです。

それに関して典型的な話があります。園長の里子さんのバレエを見に行き、私たちは「すごく上手になったね」とか、子どもがどのようにバレエを踊っているのか、ということに注目したんですよ。でも彼は「バレエの時に流れていたバッハの曲を聴いたら泣けた」って。それで園長と二人で「えー？　そこ？」って。自分の関心が優先で、次に里子さんのバレエがどうだったかという話だったんですよ。私たちはバレエにすごく注目していて、バッハの曲だったかどうかということにはあまり関心はなかった。自分の関心事が一番にきて、二番に里子さん。

木村　言われたら確かに変。

古家　今そう思っただけで、その時は何も思っていないんですよ。

木村　それはやはり里子さんのほうが……。

古家　いやいや、バレエ見た後、「何に感動したの？　感想教えてよ」と聞いたら、そういう感想だったじゃない。

木村　最初にちゃんと里子さんの話をしましたけど。

古家　話す順番は関係ないの。感動の雰囲気。「バッハの曲を聴いたら涙が出ました」という感動の雰囲気。自分の経験と重ねているというのは分かるんですが、発達障がいらしいな、と思ったわけです。

木村　自分でもそれを言うのは変だなと思っているんだけれど……。

古家　思っているんだ。それは知らなかった。

木村　だから話としては、最後に持っていったんですよね……。

古家　最後に話を持っていっても、感動の雰囲気が一番だったから、私はそれが一番だったんだなと捉えました。

お母さんたちのむぎのこ文化

Lさん　フリースクールというかたちで、むぎのこを卒園したお母さんたち何人かで始めましたが、ちょうど途中から札幌市のデイサービスができた時でしたね。その時、木村先生がむぎのこに入って来て、担任として活動や勉強を見てもらった。私たちは「先生が来た！」という感じでした。間借りした古いお家を借りてやっていたんですけれども、その制度ができて、木村先生が来て、勉強も活動も見てもらったので、むぎのこに入れて良かったという思いでしたね。

木村　フロンティアグループのお母さんたちは、子どもの自閉症は重いけれど、普通学級に通わせようということを始めた先駆けですものね。

Lさん　どういう形で行ったらいいのかと絶えず相談しながら、自分たちでフリースクールを立ち上げた、というと大げさなんですけれどもね。その時にうちの次男が、五年生で不登校になったんです。もうどうしていいか分からなくて、園長に相談したら、「こっちに連れて来ていいですよ」って。お世話になり、餅つきとかやらせてもらったりして、立ち直りました。木村先生と同じような感じで家から出ない、学校に行かない、学校まで行っても玄関で帰ってくるというひきこもりだったんですよ。そんなふうにいろんな事があって「あ、私、むぎのこを離れちゃダメだ」って。人を信頼するというか、子どもを大切にするというか、そんな当たり前のことが自分にはなかった。「ここは大事なものを教えてくれる。離れちゃいけないな」と思って、ここに残ってフリースクールという形をとり、何カ月か経って木村先生にも会えた、という経緯があります。

木村　このフロンティアグループのお母さんたちが、卒園してもヘルパーさんをやったり、事務をやったりして、一緒にむぎのこを支えていこうという文化を作った走りです。このお母さんたちがそういう文化の創生期の人たちです。それがどんどん引き継がれて、現在のお母さんたちもお客さんとして利用するのではなくて、一緒に育てましょうという文化になった。

Lさん そうですね。今ヘルパーとして私も働いてるんですけれども、ヘルパーで働かせてもらっているというのも、事業所があって、園長に声をかけてもらったからです。木村先生も一時期ヘルパーの事業所の所長だったので、ヘルパーの上司でもありました。

麦の子会

Lさん 自助グループやグループカウンセリングなどは、むぎのこ園の時からありました。無認可の時に、北川園長から「お母さん今日時間ある?」と言われ、自分の生い立ちとかいろんなことを話しました。その時は何も感じなかったんですけれど、今思えば、それが個別カウンセリングだったんだなって。それで、人に言えないこととか、しんどかったこととか、いろんなことが話せて、「信頼できる人っているんだ」「自分のいろいろな思いをそのまま受け止めてもらえるんだ」という安心感がありましたね。

Aさん　木村先生と一緒に歩んできた子どもたちは、今は就労とか専門学校とか大学生とかいろいろなジャンルの所にいるんですけれど、親もみんな麦の子会で働いていています。

古家　一歳半検診早期療育グループは、早期療育のトップバッターという歴史的なグループです。

Lさん　自分の子はうまくいかなくて、と言うのも変なんですけれど、きちんと子育てができなくて、みんなに助けてもらって、今、生活介護とグループホームで暮らしていますが、ヘルパーとして、他の幼児さんの所に行って、ほんのちょっと古く生きているので、その経験を活かしたサポートをしながら、麦の子会の中にいられたらいいですね。

Mさん　私も一年先輩のLさんやNさんの後を追いかけてきたんですが、自分も子どもも卒園と同時に小学校にポンと出られる状況ではなく、もっとむぎのこで母子関係などを教えてもらう生活のほうをとったほうがいいということで、学校には籍をおいて、行事を中心に通っていました。今もその延長上にいるんですけれど、自分でできない部分をすごいフォローしてもらい、親も自助グループに入ったり、ワークに参加したりして、親も子どももここにずっといるんです。私自身元気でいるために、フォローしてもらっているなと思っています。

そんな自分なんですが、ヘルパーとしてやっていく中で、私でいいのかな？ という疑問があったんですけれど、仲間が背中を支えてくれたり、先生たちが教えてくれたりしているので、今いることができます。ヘルパーで行くと、自分が小さい時に思ったのと同じだと共感できるお母さんが結構いるので、自分のできる範囲内で、話を聞いたり、子どもに関わったりできればいいなと思っています。六〇歳近いんですが、自分でできることを活かして、Lさんも言ったように、むぎのこに参加していけたらいいなと思っています。

Nさん 私も同じようにずうっと助けてもらっています。初めは資格を取ってヘルパーから働き始めました。最初に言われたのが、助ける側になるということ。助けてもらうだけじゃなくて、自分も新しいお母さんを助けたり、子どもを助けたり、そういうふうになれたらと思うので、今は大人のほうの施設の事務をやっていますけれども、本当の意味での助ける側になっていきたいなと思います。まだまだなんですけれども。

Oさん　私も息子が四年生ぐらいの時に職員として働かせてもらって。その前はボランティアやパートで働かせてもらっていました。
息子は四月に大学に行ったきりで、それからずうっと行っていないので、たぶん大学をやめると思うんです。就労のほうでもお世話になっていますが、息子もいろいろ悩んでいて、将来的には「メンタルが弱いから、一般企業には行けない。だから麦の子会のどこかで働かせてもらいたいな」と言っていたので、「それだったら専門学校とかにいったほうがいいよ」と言ったら「学校がもう嫌で、通えるとは思えない」と悩んでいるんですが、何か資格を取ってむぎのこのどこかで働かせてもらいたいなと息子ともども考えているところです。

Aさん　私の働き始めは、子どもが小学校一年生の時です。今は中学生・高校生のデイサービスの職員です。親子共々療育してもらってきました。木村先生もよくみてくれて、支援してもらったので、他の子たちをたくさん助けていけるように働いていきたいなと思っています。あと、むぎのこの理念にもあるんですけれど、一人の子どもを育てるのに一〇〇人の大人の助けがいるので、自分の子の不登校についてはうまくできないんですが、他の子のために一生懸命頑張っていけば、親子で前に進めるかなというふうに考えています。

木村　この学年は、友達関係を作るのが難しい子たちなんだけれども、幼なじみ感はすごいんですよ。

Aさん　幼いころから「そうやって頑張るんだよ」って園長とか木村先生に応援してもらっていたので。

木村　いろいろありながら、お母さんたちが繋がってつくってきた暮らしの中で、子どもたちも友達同士。難しい子たちなのに友達関係が深いというのがすごいですよね。

Qさん　私も反抗期のないままきて、ここでいろいろと教えてもらったので、自分をなかなか変えられないけれど、できることを一生懸命にしたいですね。

木村　Qさんはいま女性のグループホームの中で頑張ってくれています。Qさんは、大変で嫌になったら、「もうこんなもんやってられないわ」といって壊す、壊し屋さんだったんですよね。

Qさん　そう、壊し屋さんだったんですよ。ほんとにいっぱい迷惑かけて。子どももそうだし。なんかあるともう「わーっ」てね。

木村　そういうのが今、活かされているんですね。

Qさん　活かされているんですかね。

木村　キレる女の子たちにね。

Qさん　本当ね。将来このままだと大変なことになるよって、自分が身をもって周りにいっぱい迷惑かけてきているので、教えてもらったことをちょっとずつ伝えていけたらな、という場所に行かせていただき、自分の若い時を見ているみたいです。

木村　個々にはあまり繋がりたがらないんですけれども、困っているが故に、園長先生たちに、ちょっとずれてることを修正してもらいながら繋がっていくという。

古家　むぎのこで人と繋がるようになると、子どもの自閉性が軽くなっていく。むぎのこに来ていても、なかなか人と繋がるのが苦手なお母さんたちなんですよ。問題が起きると、その時困るから、人に助けてもらうので、人と繋がれる。だから問題の起きた時がチャンス。子どもが関わらない時は、すごく自閉性が強くて黙々と一人でいるんですけれど、関わろうとしたら攻撃性が出てきて大変になる。そこで木村先生に助けてもらわないと、親子が成り立たないということで関係性が濃くなってくる。困っていることがいいことということ変ですが、人間は困らないと人と繋がろうとしないところがありますから。

Lさん　困った時しか助けを求めない。それまでは、「自分でできるからいいもん」みたいな変な自信がある。でも実際どうにもならなくなったら助けを求める。その時、みんなに助けてもらって立ち直りましたね。

重度の三男もそうなんですが、二番目の子が不登校になった時に、むぎのこにほんとうに助けてもらった。やっと立ち直って、中学・高校・大学に行けました。ちょうど大学へ入った時に、D君たちの家庭教師という形で来てくれたんだけれど、うちの次男坊はメンタルと対人が弱くて、D君たちに言われて泣くような大学生だったんですよ。それでもオーケーという感じで、むぎのこ全体でみてもらって就職でき、いま東京で一人暮らしをして働いています。その子、むぎのこがなかったら絶対生きていけない。本当に今そう思っています。

うちの家族で話すのは、「三男のおかげでむぎのこに入ることができて、みんな助かったよな」ということ。木村先生にもすごくお世話になったし、学年が違うんですけれど、みんなにも。うちの長男がヘルパーをやっていた時に、Aさんの子どもさんをすごくかわいがっていたみたいです。

Aさん　お箸の持ち方とか、あらゆることで助けてもらいました。

木村　それぞれのグループの立ち上がりの時期に、なぜか私も参加していたんだなと改めて思いました。私が何かしたという思いはまったくありません。助けた感じもない。「必死に生活してきた中で、私も何とか生かされて今までこれました。ありがとうございます」という思いです。

04

同僚と木村事務長

誰かが変な時は誰かがまとも

木村事務長

古家統括部長

高田施設長
（ジャンプレッツ施設長）

加藤課長

鈴木さん
（厚生労働省専門官）

こだわり

高田　僕から見て、木村さんはふてぶてしくて、自分らしくやっているように見えます。ほんとうに鬱を持っていたのかというぐらい、今は自分らしく生きているのではないかと思います。これまでの人生で、一番楽しくやっています。ただ本人の中では、いろいろつらいこともあったと思います。そのことは僕らが細かく付き合う中でいろいろ知ることができました。

加藤　いつもお弁当などがあったら、自分で買ってくるんです。そこになぜか一品加えたがるんですよ。何でも自分なりに好きなものを一つ入れ、素材の中に自分の色を加えるといった感じです。普通の弁当じゃ飽き足りなくて、自分の好きなものを一つ加えてそれを食べるみたいな。

木村　いやー、そんなにやっていないけれどね。

高田　一つ加えたりする、そういうところあるよね。

加藤　信念みたいに、自分の筋を一本持っている。パソコン関係は同じ会社の製品だけを使うとか……。

高田　こだわりのある人ですよ。

木村　こだわりというか、好き嫌いだけだと思うけれどね。

高田　資料を作っても、自分の資料は見栄えがいいので、そうではないものを見たら、何だか「ダセーな」みたいな感じを出す。

古家　美意識がすごくあるから、レイアウトなどもきれいにできるし、私たちが作った雑な資料もきれいにまとめてくれますね。

鈴木　そうですね。パソコンについては本当に長けているし、基本的に僕は、木村君は頭がいいと思っています。子どもの支援から事務のことまで、やることが全部違うじゃないですか。対人関係は苦手かもしれないけれど、基本的に仕事はそつなくこなせます。

加藤　人と話さなくて済むものが好きなんですよ。ピアノを一人で弾いたり、料理を一人で作ったり。一時期、料理王みたいになっちゃって。

木村　なってない、なってない。ちょっと食事のお手伝いをする時があって、その時には頑張って作っていましたけれど。格好つけたいんです。

高田　そうだ、格好つけたいんだ。人に良く見られたいの木村事務長ぐらいだもの。

加藤　水泳もそうだよね。

木村　それはもう一〇年以上前の話だけれど、人の話を聞きたくないので、水泳も本とかビデオで覚えた。ピアノは小学校一年生から四年生まで、ピアノ教室で習っていたんですけれど、あとはひきこもり中に家で弾いていた。ここに勤めた頃は、むぎのこの子どもたちのリズム遊びの時のピアノをやりました。

アルバイト

木村　自分で人が苦手だなって感じ始めたのは、高校二年生ぐらいから。

高田　大学には行ったけれど、学校には行かないで、近くにあるパチンコ店のバイトに行った。バイトで三年働いたら社員旅行に行けるんだけれど、それが嫌なのでパチンコ店のバイトも辞めた。

木村　パチンコ店では、バイトができたんだよね？　人がいる所でもできるんだ。みんな他人だからいいのかな。

高田　ホールスタッフみたいな仕事で、お客さんから苦情を言われることはあまりなかったけれど、コインを入れる筒状のスコップがあって、それをお客様の額にガーンとぶつけて、ものすごく怒鳴られたということはありましたね。時給が高くて続いたのかも。

木村　じゃあ当時結構稼いだんじゃないの？

高田　二〇万円ぐらい。

木村　すごいねー。それを親に言わなかったんだよね。

高田　親には途中でばれて、バイト先に電話がかかってきた。

木村　いずれにしても、決断力はありますよ。普通自分で大学を辞められない。

木村　辞めたというか、フェードアウトだけれど。

高田　すごく行動力があるんですよ、自分のやりたいことに関しては。普通に何でもやりますから。これをしようと思ったことは絶対やり遂げます。僕らできないですもの。

キレる

高田　いろんな事件もあってね。

木村　暴れに付き合ってくれたのは、古家先生。

高田　僕らは見てはいません。みんなで「大丈夫か」って、終わった後に行ったということが多くて。

木村　三〇代になってから、暴れが出てきました。函館にむぎのこの職員一〇人ぐらいで行って、その後長い運転をして、夜に帰ってきたんですが、最後に「みんなでもうちょっとビデオ観ようよ」みたいな話になった。その頃は私の拒否感も強くて、「俺はもう車の運転で疲れたから、これ以上はもういいよ」「いやいや、まだいなさい、いなさい」となったんだけれど、鈴木君に最後なにかしゃくに障るような言われ方をされてキレた。園長がいたけれど、鈴木君自体は、いたほうがいいとはそれほど思っていなかっただろうに、園長の手下になって、「いろ、いろ、いろ、いろ、一緒にいろよ」みたいな感じになったんですよ。それでキレた。

古家　そうじゃなくてもキレてるって。原因は関係ないもの。

鈴木　目つきが変わっていたので、まずいと思って最初止めたんですけれど、止まんなかったので、首根っこをつかまえてガーっと止めました。でも、蹴られた。

加藤　それが最初の暴れ？　何度もあったものね。

古家　フィリピンでの障がい者のアジア大会でも事件が起きた。

木村　日本の参加グループに混ざって行ったんですね。むぎのこの人は四人いて、他に日本人のグループがあって、その人たちと毎晩飲み会をしていた。私は飲み会がすごく苦手で、その時は一緒にいたむぎのこの人たちがワイワイ大盛り上がりで、私だけが一人でポツンとなって。そうなったらもう固まっちゃうので、それが終わった後に、「俺一人を残してあんな大盛り上がりしやがって」となった。その時一緒に行ったのは、子どもたちのお母さんだったんですけれど、服をつかんで、ワーッてつかみかかった。

古家　どこかに行くまでが大変なんです。事務室で取っ組み合いの喧嘩になったりして。「行きたくない」とか、「髪切ったほうがいいよ」とか、「ジャンパー買ったほうがいいよ」って言うだけで大騒ぎになる。外国行くのも、髪切るのも、服買うのも私から見たら、嫌さ加減が同じ。

高田　不機嫌とか、暴言とかで、嫌な気分にさせるのね。

古家　そういうので、必ずみんなを巻き込む。

高田　で、私たちも嫌になっちゃう。

うん。でも嫌いだなんて僕は思っていないです。木村さんは、自分らしくしているだけですよ。僕は、そういうところに気を遣ってしまうんです。

古家　そうそう私も。だからついつい、「どうしたの？　大丈夫？」って。

高田　知らず知らずのうちに相手に気を遣わせるのがうまいというか。

古家　ネグレクト系。自分がいくら騒いでも、結局親が振り向いてくれなかった系かな。そんな感じはありますよね。

高田　マイナスの行動でみんなから注目を受けるみたいな。本人は無意識だと思いますけれどね。悪気なくやってるということも、あるんじゃないかな。

古家　誰でも悪気はないでしょう。悪意を持って困らせることができる人は、よっぽど頭のいい人だよ。ほとんどの凡人は悪気なくやっているよ。

高田　そっかー、凡人だ。

古家　そうだよ。

高田　僕が変に心を許してしまうところもあるんですよ。話を聞いてくれるから、あまり他の人に言って欲しくないようなことを話すと、簡単にそのことを人に言ってしまう。そういうことが何回もあったので、もう言わないほうがいいなって。

古家　チクるんだよね。

高田　そうそう。だけどこの人は、チクっているとは思っていないんです。

古家　大学の先生などが来ると、むぎのこってこんなひどい所なんですよということを普通に言う。意地悪なんですよ。

高田　そう、意地悪。

古家　高田にこの前、嫌味を言ったよね。

木村　「アンガーマネージャー」と。今まで北川園長がアンガーマネジメント[*4]の講師役として、国の研修とかいろいろな所に呼ばれて行ってたんですけれど、最近園長が忙しくなってしまったので、高田施設長がこの間、函館でこの講師をやったんです。「それなら俺のアンガーどうにかしてくれよ。アンガーマネージャー頼むね」みたいなことを言ったんです。

古家　また嫌味で？

高田　そうそう、そんな感じ。

古家　嫌味言われたって、全然思わなかったの？

高田　思わなかった。でもそういうの多いんですよ。

古家　やる気をなくさせられるんだよね？　気力を吸い取られるというか。

高田　そうそう。嫌味を嫌味じゃないような感じでうまく言う。

木村　「アンガーマネージャー、私のアンガーなんとかしてね」みたいな感じだった。

古家　嫌味っぽかったんだよね。「やれるのか、お前は？」みたいな、からかいとか冷やかしの感じで。

アンガーマネジメントは職場自体で何回かやっています。職場での研修として高田施設長が職員の全体研修もやっています。木村事務長は行かないですよ。そういうものは勧めません。彼にとってやりやすいものをほとんど勧めています。それなのに、すごく腹を立てたり、「何で俺に行かせるんだ」と言ったり。

仲間

木村　鈴木君とは同期です。

鈴木　木村事務長の決め台詞は、「園長が言ったからお前そうしたんだろう?」。これが必ずあるんですよ。僕はそれでドキッとするわけです。確かに僕もはっきり分かっていなかった。でも園長の考えにただ洗脳されているだけではなくて、園長の話を聞いて、自分なりに考え、よく分かるようになったのだから、「それは自分の考えです」とはっきり言えるんですが、押し問答になり、「ほらやっぱりお前は園長の手下だろう」みたいな感じになる。

古家　「園長が言ったのを聞いて、そうだ、そうだと言うのが嫌なんだ」って言っているよね。

木村　それは嫌です。

鈴木　僕らは別にそういう気はなく、いいものはいいというだけなのにね。

古家　木村君のいいところって難しいんだよな。
鈴木　みんなぜか慕いますよ。慕う人が多いです。
古家　それはあると思います。
鈴木　若い職員とか、子どもたちからも慕われていますし……。
古家　別に飾ってしゃべる必要もなく、そのまんまだから。
鈴木　気負わなくてもいいのかもね。人間関係の近い人にはプレッシャーをかけるけれど、ちょっと距離のある人にはプレッシャーをかけないし。
古家　それはいつものパターンだ。
木村　僕も木村君が嫌いではないですね。
鈴木　私たち好き嫌いで付き合っていない。仲間です。仲間には嫌な奴もいる。だって嫌な人がいないと楽しくないじゃないですか。
古家　それは古家先生ぐらいじゃないですか？　みんな嫌な人とは付き合いたくない。
木村　そうそう。でも、私たちは、それを超えて一緒に生きてきた。誰かが変でも誰かがまともという状態で、全員一緒に変な時がないから、助け合ってここまで来られた。事務長だけが特別にそうだということでもない。

疎外感

鈴木　大きく怒る時って、出来事ではなくて、何か言われて気に食わなかったのかなって、そんなレベルなんじゃないかな。これっていうエピソードはあまりないんだよね。

古家　鈴木先生から木村事務長に向かって行くことはないですから。鈴木先生にだよね？　でも結局は、体はちっちゃいけれど、サッカーもやっていたので、鈴木先生が持久戦で勝つんですよ。だから鈴木先生を頼りに私たちは生きてきたんです。何かあったら「鈴木先生行ってー」って。

鈴木　いなくなったと思って探したら、車庫の中にいたとかいろいろありましたね。

古家　逃げ癖だよね。木村事務長の特徴は、衝動性と攻撃性と逃げだよね。衝動性、攻撃性、逃避。それで木村事務長を探しに行ってとか、捕まえに行ってとか、何人かで探すんだけれど、見つけるのは鈴木先生。

鈴木　最後はもちろん勘ですけど。

古家　ここかな、あそこかなって試行錯誤の結果、勘が働くようになってくるんです。見つけるまで時間がすごくかかった時もあれば、短かかった時もある。

鈴木　押し入れなどは予想外でしたし、車庫も予想外でした。

古家　どこか遠くに行ったんじゃないかと思った。一〇回以上だよね。何年間にもわたたって。

木村　二年目から五年間ぐらいはずっとやっていた。でも麦の子会を辞めたいとは思わなかったですね。

古家　衝動的にパッといなくなる。

木村　考えていないんです。その場にいたくないとか、その場にいさせやがってみたいな感じとか。探しに来なかったら、ずっと車庫にいたのかな？　その時は、先のことを考えているわけでもなく、このまま時間が経って朝がくればいいなって、それぐらいです。原因は、あまりに些細なことなので覚えてはいない。

古家　はっきり覚えているのは、大通公園のビアガーデンで飲むということで行ったけれど、気がついたらいなくなっていた。

木村　みんなワイワイやっていたので、疎外感が……。

古家　それとか、車を運転していて、後ろで園長と私がしゃべっていたら「楽しそうに話しているから嫌になった」って、鬱っぽくなった。そういう中に入っていけないというか、設定した課題だとやれるけれど、普通の雑談、今は随分できるようになっていますけれど、雑談が苦手。

鈴木　やっぱり不機嫌な態度とりますよね。会議をしていても、ただ困ってる感じじゃなくて、「早く終わんねーかなー」みたいな態度をとるから。

古家　自分が中心じゃないとね。

鈴木　そうすると僕は気を遣っちゃうというか……。

古家　「どうなの？」ってね。

鈴木　そうですね。そういった雰囲気が、僕の場合は嫌になっちゃうので。

古家　みんなはそのオーラで頭が悪くなるんですよ。嫌そうなオーラがあったら活性化されなくなって、「あれ？　私悪かったっけ？」みたいな感じになってしまって、会議をしても活性化されなくなってしまう。自分は気がついていないんですが、体も大きいだけに嫌（いや）オーラはすごいですね。もし高田施設長や鈴木先生が不機嫌でも、小柄だから、そこまでの嫌（いや）オーラはただよわない。彼等も機嫌が悪くなったりするんですが、全然気にならない。

支え合う

鈴木　僕が麦の子会を離れて思ったのは、やっぱりここは温かい場所だったんだなということ。好き嫌いを超えた人間関係がある。外に出ると、「そこまで面倒起こしたんだからもう僕たちは関わらないよ」というのが普通なんですけれど、そういうものも全部含めて一緒に生きていくというんですかね。「村」といったら簡単すぎるんですけれど、どんな状態でも一緒に生きてきたという感じです。

古家　北川園長は懐が深いから、園長を中心にみんなで助け合ってきた。もし園長がそういう人じゃなかったら、私もそこまでやっていなかったと思うんです。「北川園長がそこまで言うならしようがない。事務長と話してみるね」とか、そんな感じでやってきました。

鈴木　あっ、分かった。私たち支援し合っているんだ。誰かが困ったら支援する。利用者さんを支援するように支援しているのかな。

古家　はい。

鈴木　鈴木先生は木村事務長と私的な付き合いはないの？
だけど、みんなで食事したりはするよね。

それはね。

木村　知っている人のグループだから大丈夫なんですよ。

鈴木　最初は違いましたね。誘ってもすごく嫌がっていたので、「無理しなくていいよ」みたいな感じでした。

古家　目立たないよう静かにしていたよね。

鈴木　でも最初の頃は、頻繁にトイレに行って、時間を過ごすとかそういうことをしていた。

木村　慣れた人と大丈夫になったのは、五年ぐらい経ってから。

鈴木　飲み会を、抵抗なく「分かりました」と嫌がらなくなったのは最近だと思います。

増加

古家　外国に行ったら別人だよね。世間体を気にしなくていいから。やっぱり不登校とか、ひきこもりの方というのは、日本にいたらレッテルを貼られていますよね。子どもたちは海外に行くとそういうレッテルから解放される。アメリカに小六と中一の子どもたちが行った時、アメリカでは授業中に寝転がっている子どもがいたんだけれど「ああ、僕たちここにいたら不登校じゃなかったかもね」と子どもたちが言っていた。どこの国に行っても、日本の学校は少し厳しいかな、という思いはありますね。すごく管理されているので、子どもたちの免疫力が低くなっているというか、意欲が低下しているというか、そういうものがあると思います。ですから今は非行より不登校の人が増えているんです。

変換点

古家　まず一つは二〇〇三年の海外だよね。

鈴木　アメリカに一緒に行ったトラウマワーク。

木村　家族内でつらかった昔の場面を再現し、その時の気持ちを出すというセラピーを受けました。その時に、小さい頃、「母親に話を聞いてもらえない」というだけのことだったんだけれど、それを再現したらものすごく泣いてしまった。

不機嫌だったり、怒りが爆発したりということを繰り返していたので、それが繋がっているんだと納得しました。それまではいつ死んでもいいような気持ちだったんだけれども、そのセラピー後は、死にたいなという気持ちがなくなった。

鈴木　それが大きかったんじゃないかな？　あの頃頻繁に受けていたよね。僕もほぼ一緒に受けていました。僕も機能不全家族だったので、だいたい一緒に行っていたと思います。

古家　じゃあ、一番一緒にいることが多かった？

鈴木　そうですね。でもその後の展開が思い出せないんですよ。

古家　海外に行くと一緒に楽しいことをする場面が多くなるので、不登校の子どもたちも、すごく嬉しそうにしている。世間体によって苦しめられているので、そうじゃなくて、外国に行って、自分が本当に楽しめる経験をしようと。
一方ではトラウマのワークショップを受けて、自分がどういう傷によって苦しんでるのか、原因に気づいて癒す。

鈴木　子どもたちが、小学校五年生ぐらいの時に、勉強ができないとかで不登校になりましたよね。その時からほとんど木村君は学童の勉強を一緒にするなど、あの子たちの支援をずっとやってきたんですよね。それまでは定職という感じじゃなくて、いろんなことをやっていたけれど、そこからずっとそれを中心にやっていって、事務長になったんだよね。

木村　それまではヘルパー。

古家　ヘルパーもやったの？

鈴木　管理者だね。

古家　ヘルパーの管理者もやったんだ？　いろんなことをやったんだね。要するに社会の中で転職するように、麦の子会の中で転職していたんだ。

鈴木　そしてだんだんランクが上がっていくんですよ。成長している。あの子たちと長く付き合ったのが大きかったと思うんだよね。とにかくあの子たちは木村君のことをすごく慕っていた。それは間違いありません。一緒に育ったお兄ちゃんという感じかな、と僕は思っていました。

古家　鈴木先生は指導者で、木村事務長は頭のいいお兄ちゃん。

木村　ひきこもりだということは、彼等は知っているし、大人のような振る舞いもしないし、「行きたくない」とわがまま言ったりもしている。そういうのを子どもたちの前でも普通に見せているけれど、それを見ても彼らはバカにしない。

古家　その子たちとは同じ仲間というか、同質の苦しみを持った人たち。ですから木村事務長のいいところは、ひきこもり一〇年の人間として生きているということですよ。自分がひきこもり一〇年で生きてきた感性のようなものが、ひきこもりの子どもたちと一緒にいられるというか、感性で分かってあげられるというか、否定していないというか……。自分がひきこもり一〇年だということを否定せずに、そのまま存在しているので、子どもたちも一緒に生きている感じがするから、「キムができるなら、自分もできるかな」という気持ちになれる。鈴木先生は指導員だから、子どもたちは鈴木先生にはなれないなというのがあるかな。

私、今気が付いたんですが、外国映画に出てくるような変わった男二人が一緒に変わったことをしながら生きてきて、一人は厚生労働省の専門官になり、一人は事務長になっている。木村先生と鈴木先生は二人三脚で生きてきたんだなーって。

05

人と共に、人のために

北川園長と木村事務長

北川園長
（総合施設長）

木村事務長

むぎのこに来た頃

北川　木村事務長は最初、後援会名簿をきちんと「あいうえお」順にするとか、会費納入状況とか、そういうことをエクセルか何かでやってくれていたと思うんです。それ以来、時々こちらに来るようになりました。それで次年度から子どもたちが学校へ行くけれども、普通学級に全時間通していることができなくて、こちらのほうでも支援していかなければならなかった。今は放課後等デイサービスなど、いろいろありますが、当時は全然ありませんでした。新たに支援してくれる人が必要となり、何人か候補者がいたけれど、木村君のご両親が学校の先生だったので、その遺伝子が入ってるんじゃないかと。ちょっと変わっている人だけれど、自閉症の子を教えるんだから、少々変わってても大丈夫かなと思ったんです。それに、半分お母さんたちが立ち上げたような無認可の部署だったので、お母さんたちも、木村さんでもいいって言ってくれそうな感じがしたので、「やってみませんか?」と声をかけた記憶があります。

古家先生は大反対していました。古家先生の長年の人を見る目では、「慣れてきたら暴力が出るんじゃないか。怖いからああいう人は取らないほうがいい」とアドバイスをもらったんです。しかし、人も足りないし、本当に必要とされていた部署でした。子どもたちが学校に行っていない時間の時間割を組んだりして、お母さんたちと工夫しながらやっていくのって、一般的な人ではちょっと難しいな、というのもあった。今までに全然なかった新しい取り組みだったので、普通の考えの人だと、子どもたちのことも分からないだろうし、一緒に取り組むのも難しいだろう。枠にはまらない、変わった人じゃないと、やっていけない部署なんじゃないかな、と思ったのと、彼がずうっと社会に出ていなかったので、お母さんたちと一緒にやっていくほうが、社会にいきなり出るハードルよりも、彼にとってもいいんじゃないかなって。

私の第一印象は、「何かお坊さんみたいな人だな」。黄土色っぽいニットの変な帽子をかぶっていたんですよ。「そんなのかぶってる人、今いないでしょう」みたいな。センス悪いし、全く浮世離れしていた。あれお洒落だったの？

木村　はい。

北川　えー、うそー（笑）。やっぱり「変わった人だな」というのが、第一印象ですね。学校の教師の子どもという感じはしましたね。ひきこもってはいるけれど、ある程度何でも器用にやれる。パソコンも人並み以上にできていました。

木村　最初「働いてみませんか？」という電話をいただいたんですよ。すごくびっくりしました。こんなひきこもりに、いきなり「働いてみませんか？」ですから。こちらから行くならいざ知らず、向こうから声が掛かるなんてことはあり得ないと思っていたので。
全く福祉に関心はありませんでしたが、職種を選んでいる場合じゃないし、その時はもう二九歳だったので、これで外に出られなければ、もうずうっと出ることができない、という思いがありました。即答はせず、三日間ぐらい考えたと思います。

北川　ニーズもあったし、彼も社会に出ていきたいんだろうなというのもありました。それと一致したといいますか、ちょっと変わった部署ですし。今位置づけられている放課後等デイサービスというような部署ではなくて、普通学級に行きたいけれど、全授業には出られないので、お母さんと子どもと職員が一緒に、準学校的なことで時間を過ごしていた。古家先生は「週のうち二日か三日だけ働きたいなんて、アルバイトじゃないんだから。王様のような働き方だ。普通こちらのニーズに合わせるのに、逆に合わせろ、みたいで偉そうだ」と言っていましたね。

木村　自分としては、丁重にお願いしたつもりなんですが……。その当時深川から通っていたので、そこからいきなり毎日というのは難しいので、「初めは週三日ぐらいでお願いします」というつもりで言ったんですけれどね。

北川　それは古家先生の直感で、「いやー、偉そうな態度で」というのは、当たっていたと思いますよ。障がい者就労でもなかったんだし。そういう働き方でも私はいいと思ったんですけれど、古家先生は、自分で曜日を選ぶなんて、マクドナルドのアルバイトじゃないんだからねって。

木村事務長は、能力があるんですよ。「何でこの人ひきこもったの?」という感じ。勉強もできるから、教えることもできるなと思った。ピアノだって、水泳やソフトボールなどのスポーツだって、なんにでも能力はあるんですよ。例えばぐちゃぐちゃになっているコードをきれいにするとか、自分だけに関わるものに対する実行能力はあるのですが、人と共に生きるのが難しい。嫌なことをしたくないんですね。仕事って嫌なことがあるじゃないですか。そこが一番大変だったかな。

海外に行ってもらったんですが、その時も「絶対行きたくない」って言ったんだけれど、行ってみたら良かったって。「ひきこもり海外へ行く」とかいう文章書いてたよね？　あれ、どこへいっちゃったの？

木村　行ったみんなが、それぞれ感想を書いて文集みたいなものを作りましたね。

北川　私なんか、そういうのは何でもいいからできればいいと思っているけれど、木村さんに「担当してね」と頼んだら、なかなかできないのね。何やってんのかな？　と思ったら、自分の納得するデザインじゃないと嫌だって。すごく難しいんですよ。

木村　自分がきれいだなと思うようなものに完成させないと、気が済まなかったものですから……。

子どもたちと

北川　ホームページなどということもできるし、夜になったら子どもの学習支援をするとか、要するに昼間の重要なところは任せていないけれど、必要なところはやっていた。なんか怒っていましたよ。「なんだー、隙間ばっかり埋めさせて」って。

木村　隙間以外のところにいけば、またそれはそれで文句を言ったと思いますけどね。北川園長は、人間に対する探究心が旺盛なので、とりあえずその当時は、この人はひきこもりだけれど、どういう人なんだと。ネガティブな気持ちを出しながら元気になっていくケースの参考にしていたと思います。

北川　「ひきこもりの人が社会に復帰する過程って、どんなふうになるのかな?」というのはありましたね。木村事務長はどうしてひきこもっちゃったのかなって。カウンセリングなどで東京に行ったのを横目で見ていたりとか、聞いたりとかしながら、ひきこもりの原因はどこにあったんだろうとか探ったり。それで、木村事務長の場合は、母子密着ということが分かってきた。事務長の家族が集まった時に、お母さんとの距離がすごく密着していた。L字型のソファーの角に二人がいて、弟とお父さんが寂しそうに端っこに居る。この家族関係は何なんだろうって。カウンセラーの先生がおっしゃったように母子密着で、お母さんにとって事務長は王様で、王様として育ったのに、外に出たら王様になれない。父性が弱かったり、母子密着しすぎだったり。思春期である小学校高学年ぐらいから、「社会に出るために、やらなければいけないことはやりなさい」と言うお父さんの力が必要なんですが、それが弱かったのかなって。なかなか頭もいいから、理屈をつけてやらないということが多かったので、お父さんに「もう家に帰って来るな」って言ってもらったこともありました。お父さんも、「きちんと社会で生きろ」って。でもお母さんは「こんな重労働させられて、かわいそう」と思っている。「あれ？　社会に出てくれてうれしい」というわけではないんだと。子どもたちの面倒も、きちっとはみていません。子どものほうがもう許してるというか、彼らのほうが少し大人になっているという感じがありますね。

木村　なんとか一緒に育ってきた子たちは、男子は今大学生の七人。

北川　女の子たちも入れると間接的には一五～一六人。みんなも発達障がいで、木村先生と一緒に育ってきた。新しい経験の苦手な子どもたちには、大人がやっぱり必要です。歳は大分離れていますが、先輩である木村先生がいる。「変な木村君でも頑張ってるんだから」という共鳴的なところがあると思います。

木村　子どもたちの前でも普通に、もうそんなのやりたくないとか、行きたくないといった変な態度をとってますから。

北川　子どもより、木村君に時間がかかったりしているから。例えば当別の中小屋小学校。学力がなかなかうまくいかなかった時代に、毎週のように泊まりがけで勉強に行っていたんです。そうしたら、子どもたちのほうはちゃんと行っているのに、木村君は泊まりがけが嫌だから行きたくないと。「キム来いよ」と、子どもたちのほうが声を掛けていた。私は、「やることとやりなさい。そのネガティブなダークな力に負けないで、前に向かいなさい。やるって決めたことは好き嫌い抜きでやらないと」って。

彼とお母さんとの仲で分析すると、かなり甘やかされてきているから、厳しくしてもいいんですよ。ただ社会に出る力がなかっただけで、能力はあるというか、不安が強かったというか。だから、やっていくと、それが力になっていく人だと思いますね。

他の職員は昼間のちゃんとした仕事をしているから忙しいんですよ。事務長になる前は、この人がわりとフリーだったので、勉強でも何でも頼ることができた。グループ塾のような感じですね。

海外旅行

北川　私の里子と、もう一人のむぎのこの子が海外に三週間行くことになったんですが、木村先生も前から仕事を休んで世界遺産の旅に行きたいと言っていたので、「チャンスでしょう。うちの子たちがカナダの学校に短期留学するからついて行って。あとは自由にして、帰りに迎えに行けばいいから」と言ったんですが、猛烈に嫌がって。こちらも勝手なことを頼んでいるとは思ったんだけれど、「元々行きたかったんじゃないの?」と言ったら、「休みも取れない職場だ」などと文句を言うので「どうぞ休んでください」って。ひどいですよ。社会性がないですよ。

行く前に一度みんなでディスカッションをしてる時に、もう一人のお母さんと、「行ってもらうんだから、私たちもお金を少し出しましょうか」などと、木村先生が一緒に行ってくれて当然のような雰囲気を出したら、その場でガッと立ち上がって急に「やらないよ!」と怒った。この人、すぐキレるんです。基本DV男ですよ。みんな呆れて嫌な思いをしますが、他の職員たちは「またキレた」という感じで構わないんです。それで古家先生に怒られて、反省して、やっぱり行きますということになって、行ったんです。行ったら行ったで、私たちの子ども二人が、英語もできないし、行ってどうなるか不安だったんですけれど、学校そのものがいい学校だったみたいで、子どもはすごく適応して、学校生活を楽しめたんです。しかし木村先生からは、毎日こちらにラインが来て、「人里離れた山奥なので何もなくて辛い」とかって。「えー、なんなの?」という感じ。コーディネーターの人からもメールがきて、「子どもたち二人は大丈夫です。何より心配なのは木村さんです。ちょっと気分転換に連れ出しました」とか、あちらの学校の先生も「こんな不安な人がそばにいたら、子どもたちにも影響があるので、学校から早く出て行ってください」って。

木村　私が不安だからとは言われてないんですが、「大人はいないほうがいい」って……。

北川　仲立ちしてくれている人が「木村さんはいないほうがいい」と言っていた。ハリファックスという街でホテルを取ったんだけれど、そうしたらまた「ホテルが高い」とか「何万円する」だとかいろんなメールが来るわけですよ。「何とかするしかないんじゃないの?周遊券とか買ってカナダを周るとか、何でもできるでしょ」などといろいろ言ったんだけれど、結局古家先生に「あなた、お金ケチってるからそうなるんでしょう」とまた怒られた。お金はいっぱいあるんです。「お金を使えば運気が開くわよ」なんて、本当かどうか分からないけれど、そういうふうに古家先生に言ってもらって。急にお金使うことにしたの？

木村　そうですね。一週間は学校の寮で鬱々としていたんですけれど、後半は外に出してもらいました。歩いて一五分ぐらいの所に小さな街があって、そこでコーヒーが飲めたり、買い物ができたりしたので、後半はちょっと元気になりました。その後「いないほうがいい」と言われたので、じゃあ二週間どうやって過ごそうかなって。宿賃をなるべく浮かすために、電車で過ごしたほうがいいのかな、じゃあカナダを横断して時間をつぶそうかなと思って、七万円か八万円ぐらいで七回乗れる券を買って、二四時間ぐらいかけてカナダの右端からトロントまで行きました。長旅用の電車なので、椅子も大きくて広いんだけれども、クーラーはガンガン効いているし、寝るのもちょっと縮こまって寝なきゃダメだったので、すごくつらくてつらくて。二日で行って二日で戻る予定だったけれど、それは難しいなということで、やめてトロントに五日ぐらい滞在し、ナイアガラなどに行って観光をしました。

北川　このパターンなんですよ。嫌がって嫌がって、上司だろうが誰だろうがもう誰彼関係なく傍若無人の態度をとり、「なんで行かなきゃなんないんだろー」ってキレて、古家先生に怒られて、行って不安になるけれど、帰りにはもう「いい旅だった」。発達障がいっぽいところもあるので不安が強く、変化をすごく嫌がる。

木村　とにかく対人が不安なんです。その学校に行った時も、向こうに先生たちがいっぱいいる。私は子どもたちを引率してきた大人なので、「この子たちはこういう子です。こういう過ごし方をしてきました」というような紹介をし、だんだんなじむように持っていかなければならないし、自分自身もなじまなければならないし……。

北川　子どもよりなじんでいなかった。

木村　うん、全然なじまなかった。一人だけで遊んで来い、というなら何も問題はないんですが。

北川　そうかなー？

木村　それはそれで多少不安はありますが……。

北川　新しいことをするのに、いつも葛藤があるんですよね。自分で決められたことならいいけれど。例えば事務長になって、仕事がうまくいかない時ってあるじゃないですか。そうすると必ず、「こんな事をやらせるお前らが悪いんだ」となるんですよ。うまくいかないと人のせいにする。子どもたちは、社会で生きていく力のある人という社会的な目で彼を見ないから、「嫌だ」と言ったりすることに共感できるんです。彼らが自立して社会に出た時には、木村君もきちんとしていないとダメですよ。事務長として仕事がうまくいかなくても、人のせいにしないで。仕事は淡々とできる面もあるんだけれど、葛藤する場面の多い事務長の仕事に私や古家先生が就かせたと怒るんですが、事務長にさせたのは理事長なんですよ。だから「私たちに怒るんじゃなくて理事長に怒ったら？」って言うんだけれど、理事長には言えない。それは男の人だから。男の人怖いものね。偉い人が好きなんです。だから古家先生の言うことは聞かなくても、本が好きなので、内田樹[*5]とか、斎藤環[*6]がこう言ってたとか、そういうのを持ち出す。嫌なパターンですね。

本にすること

木村　みなさん私の嫌なところしか言わないんですが、これを本にして大丈夫ですか？

北川　ひきこもりってかわいそうなことじゃないんだ。いろんな葛藤をして、いろんな支えがあったら、こんなふうにその人の良さも悪さも現れて豊かに生きられる、ということが分かればいいでしょう。

木村　私はバッシングされませんか？

北川　だって本人だからいいじゃない。本人が言っているんだからいいでしょう。

木村　本人だけれど、「なんだ、ひきこもりって自業自得じゃないか」みたいに、ひきこもり全員がそうなんだと思われたら……。

北川　そういうふうにはならない。ひきこもりは悪くないという証明があなたでしょう。一般の社会人が事務長になって、「なんで事務長にしたんだ」という人だったらちょっと堪えられないけれど、木村事務長を発達過程の人として捉えているから。

事務長は、事務全体を見守っているだけですね。請求などの細かい事務仕事はやっていますが。あと、文章つくることはできますね。例えばトータルに役所に出さなくちゃいけない資料を、私たちが作ると誤字脱字とか出てくるじゃないですか。そういうのをきれいにしてくれる。

木村　チーム仕事ができないんです。理事長にも「リーダーシップないからな。それがお前のいいところだから」と、よく分からない評価をされています。

北川　ガーッと怒ったりするところを、みんなには隠しているからね。だから他の職員にしてみれば、怖くない事務長というか、安心感がある。優しい人に見えますから。ずるいですよね。

木村　ガーッと怒るのは、甘えの表現です。

北川　小さい時に、お母さんのコントロールじゃなくて、ちゃんと自分の要求を満たすような関係だったら良かったんだけれど、たぶんそうじゃない。お母さんとしては成績がいいし、スポーツもできる、そういう子がかわいかったんだと思う。お母さんも悪いわけじゃないんだけれど、子育てで社会的な応援が必要だった。高度経済成長時代の被害者とも言えますね。

まあでも、仕方がないですよね。だって、うちの子どもたちは発達に心配のある子で、その子たちの自立に向けて支援していくのだから、先頭を切って走る人がいい方向に行ってもらわなければ……。そのために支えているんです。

麦の子会とは

北川　麦の子会のような施設は医療型も合わせると札幌市内に九カ所あり、うちは北区と東区を担当しています。

木村　今麦の子会の利用者は五〇〇人、職員も五〇〇人ですね。パートさんが半分です。

北川　麦の子会ができたのは一九八三年です。柏学園、はるにれ学園、楡の会、麦の子会の順ですね。一九九六年に認可されました。障がいのある子どもたちのための支援の場ということで、重たい子が最初に来ていたんですけれど、だんだん発達に心配のあるといわれる発達障がいの軽度の子も来るようになった。そのまま育てたら、軽度でも自立できない。なかなか新しいことに挑戦するのが嫌だったり、デリケートだったり、自信がなかったりする。一見普通に見えるその子たちの自立ということをやはり考えます。

その子たちには「頑張れ、頑張れ」と言うんじゃなくて、「どういうやり方をしたら分かるようになるのか」とか、「どう表現できるようにしてあげられるのか」とか、「どういうふうにすればちゃんと目的に向かって努力ができるのか」とか、教えてぱっと分かるのが一般の子たちなんですけれど、そこがなかなか難しい子どもたちなので、環境的なサポートが必要なんです。その子どもによってですが、例えば勉強だったら長々と教えないとか、この答えはこれだよ、と自信を持たせてあげるとか。自分を表現する書き方の練習では、今自分はこう思ってるということが書けない時は、ディスカッションしてから書くとか、言葉の機能を使ってから書くとか、書けと言われると書けないけれど仲間の中でおしゃべりしたら書けるとか、テストまであと何日だから、今日はこういうふうに勉強するよ、とか。それをちょっと最近の考えで「外付け前頭葉」と言います。結局本人が努力するんですけれど、外付けの人たちが環境を作ってあげて、最終的には外付けがなくても本人たちができるようにという、そのフロンティアみたいな人たちですよ、木村君とともに歩んできた大学生たちは。その子たちを小さい頃からかなり甘やかしながら育ててきているから、逆に厳しくできる面もある。木村君にとって事務長ってすごく大きい役割だけれど、「挑戦したほうがいい」とたぶん理事長が考えたんですね。

木村　普通は法人の事務長といったら、裏の実力者みたいな感じですけど、全然そんなことないですから。

北川　新しい時代の事務長ですからね。

痛みが分かる

木村　休み明けに家から出たくないという気持ちはずうっとあります。長期休みの後はものすごく行きたくないです。

北川　髪を切っても人に会いたくないんですよ。髪を切った自分を見せたくない。とにかく変化に弱いというか。仕事で訪れた人などには、他人顔ができるのでいいんだよね。

束の間なのでなんとか。これが次第に親密にならなければいけない、というふうに思うとダメですね。

非常識なことばかりしながら、なぜクビにならなかったのか。普通ならクビですよね。そこを発達過程としてとらえて、しかも事務長にする。園長は、やはりただ者ではないですし、お世話になりっぱなしです。

木村　古家先生は「私は全く励ましている気もないし、ただ事実を言うだけだ」というような言い方をするんですけれど、私には励ましです。この間も長い間不登校だった職員と古家先生が話していて、「あんたなんか、それだけ学校に行っていないんだから、社会性がないのが当たり前でしょう」と言っていました。そういう言い方なんですけれど、結局それが最終的に励ましになるというか、学校に行っていなかったことを、全く否定的にみない。私に対しても、「あなた、ひきこもっていたんだから、そんなものできなくて当たり前でしょう」って。字面だと一瞬「ひどい」と思いそうなんですが、「肯定されている」、そういう感じなんですよね。ここのところをうまく表現できないのですが……。

北川　むぎのこは元々生きにくさを抱えてる人たちが来るところだから、職員もそういう人が来て、自分のことを知り、子どもを支えていくという構造があります。ここで働ける人って、みな優しい人じゃないですか。自分も苦労したので、人の痛みが分かるという人。

木村　私は失格ですね。優しくないので。

北川　事務長は、ひきこもりからでも、わがままを言いながら、もちろん暴力は駄目ですけれど、こうやって生きていけるという、「どんな子どもも生きていていいんだ」、そういう存在じゃないですか。

ひきこもりの定義

北川　今八〇五〇問題などと言って、親が八〇歳で、ひきこもる子どもが五〇歳という時代。

木村　私ぐらいの年齢で、ずっとひきこもっている人もたくさんいます。

北川　だから感謝したほうがいいんじゃない？　八〇五〇ってぴったりでしょう。

木村　「そのまま死なせてくれれば良かったのに」と思うこともよくありますが……。

北川　ひきこもりという言葉が登場したのは、事務長のちょっと前の世代ぐらいからではないですかね。

木村　昔は今ほどコミュニケーション、コミュニケーションとは言わなかった。職人仕事は、ただ黙々と働いていれば良かった。

北川　出稼ぎとか集団就職とかで、家にいられなかったものね。社会構造が豊かになった結果こうなったんでしょう。生きにくさを抱えた人が多くなってきている。よく生き延びてきたなというようなお母さんたちが、うちにたくさん来ます。心のいろいろな不安や傷などを持っているので、そのあたりのケアをしています。子どもが小さい時は、いろいろ言って来るお母さんはいますけれど、その背景にあるものを見返していくと、だんだん大人になっていく。

木村事務長もいろいろありましたが、少々でこぼこで社会性がなくても、最終的にはやっぱり人のため世のために生きていければいいんじゃないですか。それが自分の幸せになるのでは。

木村　この先五〇歳代、六〇歳代をどう生きていけばいいのかなという不安はあります。

北川　だから「世のため人のために生きれば何とかなるでしょう」と言っているのに、「そうじゃない」と言うところが、自己中心的なんですよ。不安だからなんでしょうけれど。特に木村事務長は一人で何でもできるからね。寂しいくせに「そのほうが楽」とか、口で言うだけなんですけれど。

人と共に生きようとすると嫌がるから、「人と共に生きないと。人間としてそれが大切だよ」ということを常に言い続けています。

注釈一覧

＊1　ＣＳＰ
Common Sense Parenting（コモンセンスペアレンティング）の略。
児童虐待予防を目的とした親支援プログラムであるペアレントトレーニングの一つ

＊2　ネウボラ
フィンランド語で「助言の場」を意味する。
母親の妊娠期から就学前まで、子育てに関する相談にワンストップで応じる仕組み

＊3　アセスメント
客観的に評価すること

＊4　アンガーマネジメント
怒りの感情と上手く付き合うための心理教育、心理トレーニング

＊5　内田樹
フランス文学者、武道家、翻訳家

＊6　斎藤環
精神科医、批評家

あとがき

二年前にふとしたきっかけから、「本出したほうがいいよ」という話をいただきました。でもこういう本て「マイナスの状況に陥ったけれど、それを克服しました」という人が書くのであって、自分としては未だに「ひきこもり」を克服した実感もなく、何を書いていいのか迷いました。それで、いつものようにむぎのこの皆さんに助けていただき、これまで私と関わっていただいた人たちと座談会的に振り返ってみて、どういうむぎのこ生活を送り今に至ったのか、改めて考える機会になればいいなということで、今回の出版に至りました。

もし、麦の子会と縁が無かったら。間違いなく八〇五〇問題として、路頭（家の中か）に迷い続けた人生だったと思います。本書の通り、これだけ沢山の人との関わりの中で生かされてきたにもかかわらず、未だに現実としっかり向き合って、現実と自分をかみ合わせていくということがなかなか難しい（回避性愛着障害）。今以上に輪をかけて空回り的にもがいていたことでしょう。そして空想と可能性の中に逃避したまま、鬱々としながら、時に親にわめきちらして、挙げ句の果てに事件化していたのかもしれません。

麦の子会は、現在常務理事で総合施設長である北川聡子園長（慣例で園長と呼んでいます）が大学を卒業してすぐの一九八三年に、同じく大学卒業したての学生合わせて四名と共に、無認可の通園施設として創設しました。一九九六年に社会福祉法人として認可されそれから二四年が経過しています。創立当初は自閉症の子どもたちのための通園施設でしたが、その後成人の通所施設、クリニック等を開設し、措置費制度から契約制度への社会福祉制度の改変もあり事業所数や事業種別も増え、今や職員数が五〇〇名強、お子さん、利用者の方々も五〇〇名強の大規模な社会福祉法人へと発展してきました。

私は、社福としての麦の子会草創期の一九九九年春から、この法人にお世話になることになりました。当時はまだ通園施設が一つしかない小さな法人でしたが、それから二〇年が経ちました。法人の急激な発展と共に、自分自身も大きく成長できればよかったですが、残念ながら自分の業の深さ故か、「ひきこもりを抜けだし挫折を克服」みたいなストーリーには進まないのでした。

この二〇年間、克服ストーリーでもなく、サクセスストーリーでもない私のライフストーリーは何だったのか。具体的な中身は本文で、むぎのこの皆さんにご協力していただいて、幾分かは伝わったのかと思いますが、それらを最後にどうまとめられるのか、とつらつらと迷い考えていた折、つい最近ですがある YouTuber さんに気づかせてもらうことがありました。

新型コロナウイルスの影響によって在宅時間の多くなった子どもたちや大人がゲーム依存に陥っているという話と絡めて、非常に核心的な話をされていました。私なりにまとめます。

多くの人は周りの大人、親や教師にこうあるべきという目標を設定されて、実行スケジュールも決められている。特に学校的な三つの価値観、ペーパーテスト、スポーツ、芸術という価値観にしばられて、仮にそれを達成したとしても他人が決めた価値基準で本当の達成感は得られないし、達成しなかったらそれはそれで傷つくという地獄。他人に勝つこと、優越することが価値となると、他人は全て敵なのだからひたすら苦しい世界。

こういう世界から脱するには、自分の能力を知り、それに納得した自分を用いて、他人や社会の役に立ち、どんなちっぽけなことでもいいから感謝されることが大事。現実の世界はゲームの世界と違って予定調和ではなく、必ず失敗し傷つくが、自分のことを知り納得していればそれほど傷つかない。経験↓失敗↓修正調整というふうに回していけば、リアルのほうがゲームよりはるかに達成感や喜びがある。

そして自分の価値は、関わった人からの「感謝と涙」で評価する。「涙」

というのは人を傷つけたということ（苦労の涙、感動の涙も私はあると思います）。直接関わってない奴の評価なんかガン無視でいい。何もあなたのことなんてわからないのだから。

以上がそのYouTuberさんのお話です。よいお話でした。本書の副題を「ぼくの心は二つある」としましたが、未だに他人の価値観（日本語変換でいま価値「館」と変換されました。他人の価値感て、そういう閉ざされた館のようなものかもしれません）、平たく言えば世間体や他人との比較優劣による自分の価値の上げ下げと、感謝とか協力とか弱さとか障害とか誠実とかいう価値観との間で常に揺れ動いてきたこの二〇年間のむぎのこ生活だったと思います。

先日、浦河べてるの家の向谷地生良先生にむぎのこに来ていただき「当事者研究」ということで、私を研究するファシリテーターをしていただきました。園長、古家先生、それから同僚の加藤君も同席してもらいました。

その中で「高校時代の居場所感」と「現在の居場所感」を比較する形で、現在むぎのこビルのどこにいる感じがするかという話になりました。自分としては実際の通り、二階の事務所で事務長業務をしていると述べましたが、周りからは「いやいや、木村君はビルの一〇階ぐらいにいて、そこで好きな本やモノ並べて優雅に過ごしてる感じ。地上に降りてきなさいよ」と言われ、自己評価の修正を余儀なくされたのでした。

自分の普段のあまりの態度のでかさと自己中ぶりを、「自己皇帝感」と我ながらよい名付けをしていたことを、この研究中に向谷地先生に話したら、「これからは〈自己高低感〉を大切に」とのご回答でした。浦河べてるの家の「安心して絶望できる人生」等、深い思想に基づいた数々の名フレーズを彷彿させるお言葉をいただきました。ありがとうございます向谷地先生！

「自分のことは自分がよくわかる」はある問題の階層では真実ですが、「自分のことは自分が一番わからない」のもまた真実で、一つ一つ失敗しながら自分のことを知ったり、そしてまた現実と乖離した自己認知をしたりを繰り返しながら、つまり天上と地上との高低を行き来しながら、なんとかリアルを生きられるようになってきたのかもしれません。
自分を知り、どんなささいなことでも人の役に立ち、人を傷つけたら謝る。先述のYouTuberさんのお話通りの「感謝と涙」による自己評価、自己認知を積み重ねるということを、むぎのこにきてから本当に沢山の人たちに、励まされ導いてもらってきたなと思います。

むぎのこ以後、様々な海外研修や旅行にも連れて行ってもらいました。行く前には必ず「行かない」と大暴れに近い一悶着があってからの参加で、そのくせ海外自体はのびのびワクワク（人付き合い以外）で満足、という繰り返しにみんなを辟易させておりました。ひきこもりでインドアのはずなのにこんなに海外に行くとは思ってもいませんでしたが、これも自分の枠を解体していく大変よい機会になったと思います。

昨年（二〇一九年）の一二月には「アジア知的障害者会議」という大会がネパールのカトマンズで開催され、むぎのこの職員と利用者さんとで参加してきました。集団生活が苦手な身としては一〇日間の日程は長くて気が引けましたが、ネパールの赤い僧侶や、その宗教的な雰囲気になんとなく惹かれていたこともあり、不安七割、楽しみ三割の気持ちで行かせてもらいました。〝この世〟のミッションである本業の引率業務や会議出席は不得手ながらなんとかこなし、〝あの世〟の裏ミッションも果たしてきました。世界遺産の「スワヤンブナート（目玉寺院）」に行って、古い仏像を購入するという私なりの裏ミッションですけども。

実はむぎのこにお世話になって四年後の二〇〇三年にも、同じく「アジア知的障害者会議」のフィリピン大会に参加しています。その時はほとんど一人部屋に籠もっていました。日本の参加者同士の夜の会食の時、嫌になってフィリピン市街に一人で飛び出して、他団体の方にホテルまで追いかけてもらったこともあります。障がい者支援をしている方であっても三〇越えの大の大人の激しい不適応行動には閉口させたことと、改めてお詫びいたします。この頃の激しさからみれば、二～三歳の発達課題の一部はクリアできたのかなと思います。単に加齢による衰えかもしれませんが……。

さて最後に、むぎのことはどういうところか。具体的詳細は二〇二〇年の夏に、これまでの麦の子会の歩みとむぎのこの支援をまとめた一冊が福村出版さんから上梓されることになっていますので、そちらも是非お読みください。

私なりにむぎのこをキャッチコピー的に端的に表すと「自分自身になっていく。」そういう強力な場である、というところがむぎのこの中核だと思います。人間が好きでエネルギーに満ち満ちており、弱い立場の人たちを守る厳しさと優しさとに溢れた北川園長。ハイセンシティブでこの世的ならぬ独特な鋭い感性を持ち、ご自身を発達障がいと自認しながら、弱い人のためにむぎのこを絶対に守りぬくという強い意思をお持ちの古家統括部長。この二人によって、「自分自身になっていく。」そういう強い磁場が発せられ、そしてそこで自分自身を開花していった子どもたちや、お母さんたちがそのむぎのこ文化のようなものを拡散していっています。

今回いつものように何でも気の乗らない私を励まして出版に持っていっていただいた、北川園長、古家先生ありがとうございました。インタビューに参加してもらった子どもたち、お母さんたち、同僚の皆さんも過去の掘り起こし作業を手伝っていただき、ありがとうございました。

とっかかりも経過も甚だしく時間がかかり、初回打合せから二年も経過してしまい中西出版の皆様にも大変なご迷惑をおかけしました。この間、担当をしていただいた女性スタッフの方が二人とも変わられ、お二人にも残念な思いをさせてしまいました。にも関わらず本書のかわいらしいイラストを描いてくださった元中西出版の引山さん、ありがとうございました。長時間のインタビューをまとめてくださった小西さん、むぎのこ関係の煩

雑な印刷物も担当していただいた稲田さん、最後の最後にしめくくってい
ただいた河西さん。大変お世話になりました。ありがとうございました。
　多くのがっかりと皆さんの協力の上に今回の出版が成り立っていること
に、お詫びと感謝を申し上げます。

木村　瑞穂

ネパールの目玉寺院で
買った小仏像

ひきこもり事務長
ぼくの心は2つある

発　行――二〇二〇年七月二三日　初版第一刷

編　者――**木村　瑞穂**

発行者――林下　英二

発行所――中西出版株式会社

〒〇〇七－〇八二三

札幌市東区東雁来三条一丁目一－三四

TEL（〇一一）七八五－〇七三七

FAX（〇一一）七八一－七五一六

イラスト――引山　絵里

カバー――青柳　早苗

組　版――笠井真紀子

印刷所――中西印刷株式会社

製本所――石田製本株式会社